Sur les traces des Cathares
Le Chemin des Bonshommes

Ce projet a été co-financé
par la Communauté européenne

GROUPEMENT
EUROPEEN
D'INTERET
ECONOMIQUE

Parc Technologique Delta Sud - BP 24
09120 VARILHES

Fédération Française de la Randonnée Pédestre
association reconnue d'utilité publique
14, rue Riquet
75019 PARIS

Photo Marc Mesplié.

Sommaire

Les informations pratiques
- Le guide et son utilisation.................................... p 4/5
- Quelques idées de randonnée............................. p 6
- Le balisage des sentiers.................................... p 6/7
- Avant de partir... p 6
- Se rendre et se déplacer dans la région................... p 10
- Hébergements, restauration, commerces, services........ p 10
- S'équiper et s'alimenter pendant la randonnée........... p 12
- Réalisation.. p 13
- Adresses utiles... p 13
- Bibliographie, cartographie................................. p 13

Un bref aperçu de la région
- Le Chemin des Bonshommes, entre Ariège et Catalogne p 22
- Les Cathares : le destin inachevé........................... p 22

Les itinéraires
- Accès à Montségur depuis Foix............................ p 31
- Accès à Montségur depuis Tarascon-sur-Ariège......... p 39
- Le sentier GR® 107... p 47
- La variante du sentier GR® 107............................ p 107
- Le sentier GR® 107 C.. p 111

A la découverte de la région
- Roger Bernard III, comte de Foix........................... p 34
- Foix.. p 34
- Roquefixade.. p 35
- Pierre Autier et l'Inquisition................................ p 44
- Montségur.. p 44
- Prades et Montaillou.. p 50
- Le faucon pèlerin.. p 51
- Les gorges de la Frau....................................... p 51
- Les loups sont entrés dans Orlu........................... p 55
- Ax-les-Thermes en 1300..................................... p 56
- Une croyante acharnée : Sibille Bayle..................... p 57
- Au paradis des Isards : le Réserve Nationale d'Orlu........ p 57
- Scène de ménage à Ascou en 1300 .... p 60
- Le petit cheval noir.. p 60
- L'église romane de Mérens.................................. p 61
- Le col de Puymorens... p 66
- La montagne Refuge... p 66
- L'Hospitalet.. p 67
- Lies et passeries... p 70
- Contrebandiers et passeurs................................. p 70
- Une vie de berger dans la vallée de Campcardos en 1320 p 71
- La maison pyrénéenne....................................... p 74
- Saint Ermengol et saint Ott................................. p 75
- Une bien curieuse ligne ferroviaire........................ p 75
- Le Parc Naturel de Cadí-Moixeró........................... p 78
- Bellver de Cerdagne .... p 78
- Le pic noir, symbole du Parc................................ p 79
- Bagà.. p 79
- Picasso à Gósol .... p 82
- Gósol et Josa .... p 82
- La Pedraforca.. p 83
- La marmotte.. p 88
- Les mouflons de Font-Vives................................ p 89
- Le gypaète barbu.. p 89
- L'art roman dans les Pyrénées.............................. p 94
- Sant-Pedre-de-Madrona...................................... p 95
- Le sanctuaire de Queralt.................................... p 95
- Le pin à crochets.. p 98
- Fleurs de montagne.. p 98
- Des fleurs "fossiles".. p 99
- César à la cour d'Angleterre................................ p 111

Pour comprendre la carte IGN

Courbes de niveau
Altitude • 974

Les courbes de niveau

Chaque courbe est une ligne (figurée en orange) qui joint tous les points d'une même altitude. Plus les courbes sont serrées sur la carte, plus le terrain est pentu. A l'inverse, des courbes espacées indiquent une pente douce.

Route
Chemin
Sentier
Voie ferrée, gare
Ligne à haute tension
Cours d'eau
Nappe d'eau permanente
Source, fontaine
Pont
Eglise
Chapelle, oratoire
Calvaire
Cimetière
Château
Fort
Ruines
Dolmen, menhir
Point de vue

D'après la légende de la carte IGN au 1 : 50 000.

Les sentiers de Grande Randonnée® décrits dans ce topo-guide sont **tracés en rouge** sur la carte IGN au 1 : 50 000 (**1 cm = 500 m**).

La plupart du temps, **les cartes sont orientées Nord-Sud** (le Nord est en haut de la carte). Sinon, la direction du Nord est indiquée par une flèche rouge.

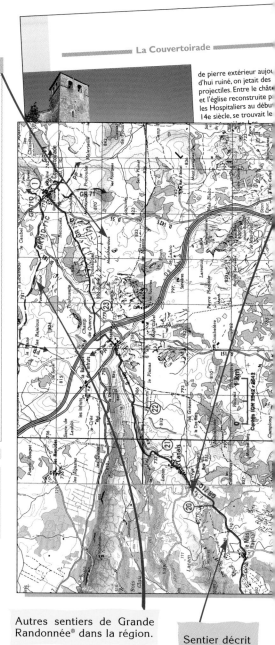

La Couvertoirade

de pierre extérieur aujou d'hui ruiné, on jetait des projectiles. Entre le châte et l'église reconstruite p les Hospitaliers au débu 14e siècle, se trouvait le

Autres sentiers de Grande Randonnée® dans la région.

Sentier décrit

4

Vous êtes ici

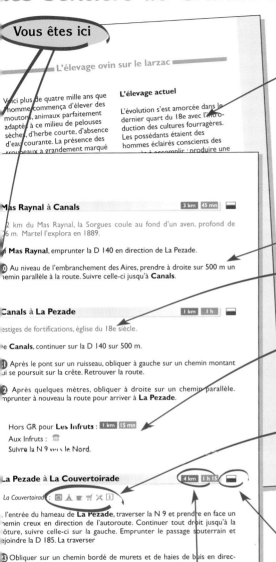

■■■ L'élevage ovin sur le larzac ■■■

V[o]ici plus de quatre mille ans que l'homme commença d'élever des moutons, animaux parfaitement adaptés à ce milieu de pelouses sèches, d'herbe courte, d'absence d'eau courante. La présence des troupeaux a grandement marqué

L'élevage actuel

L'évolution s'est amorcée dans le dernier quart du 18e avec l'introduction des cultures fourragères. Les possédants étaient des hommes éclairés conscients des

Pour découvrir **la nature** et **le patrimoine** de la région.

Mas Raynal à **Canals**   `3 km` `45 mn` 🚶

À 2 km du Mas Raynal, la Sorgues coule au fond d'un aven, profond de [4]6 m. Martel l'explora en 1889.

Au **Mas Raynal**, emprunter la D 140 en direction de La Pezade.

① Au niveau de l'embranchement des Aires, prendre à droite sur 500 m un chemin parallèle à la route. Suivre celle-ci jusqu'à **Canals**.

Description précise du sentier de Grande Randonnée®.

Canals à **La Pezade**   `1 km` `1 h` 🚶

[V]estiges de fortifications, église du 18e siècle.

[D]e **Canals**, continuer sur la D 140 sur 500 m.

① Après le pont sur un ruisseau, obliquer à gauche sur un chemin montant [q]ui se poursuit sur la crête. Retrouver la route.

② Après quelques mètres, obliquer à droite sur un chemin parallèle. [E]mprunter à nouveau la route pour arriver à **La Pezade**.

Hors GR pour **Les Infruts** : `1 km` `15 mn`
Aux Infruts : 🏠
Suivre la N 9 vers le Nord.

Quelques infos touristiques

Le Hors GR est un itinéraire, généralement **non balisé**, qui permet de rejoindre un hébergement, un moyen de transport, un point de ravitaillement. *Il est indiqué en tirets sur la carte.*

La Pezade à **La Couvertoirade**   `4 km` `1 h 15` 🚶

La Couvertoirade : 🏛 🛏 🛍 🍴 ✕ ⓘ

[À] l'entrée du hameau de **La Pezade**, traverser la N 9 et prendre en face un [c]hemin creux en direction de l'autoroute. Continuer tout droit jusqu'à la [c]lôture, suivre celle-ci sur la gauche. Emprunter le passage souterrain et [r]ejoindre la D 185. La traverser

③ Obliquer sur un chemin bordé de murets et de haies de buis en direction de **La Couvertoirade**.

Pour savoir **où manger, dormir, acheter des provisions, se déplacer en train ou en bus**, etc.

(voir le tableau et la liste des hébergements et commerces).

Couleur du **balisage**.

45

Le temps de marche pour aller de **La Pezade** à **La Couvertoirade** est de 1 heure et 15 minutes pour une distance de 4 km.

Informations pratiques

Quelques idées de randonnées

■ Les itinéraires décrits

Le topo-guide décrit les sentiers de Grande Randonnée® suivants :

- Deux accès à Montségur depuis Foix et Tarascon-sur-Ariège à parcourir en 1 à 2 journées.

- Le sentier GR® 107 de Montségur à Quéralt, à parcourir en 8 à 10 journées.
- La variante du sentier GR® 107, de Mérens-les-Vals à Porté-Puymorens, à parcourir en 2 à 3 journées.
- Le sentier GR® 107C, pour rejoindre en 2 h, depuis le refuge des Bésines, le sentier principal.

■ Quelques suggestions

Le réseau de sentiers de Grande Randonnée® de la région offre de multiples parcours de randonnée de plusieurs jours. Nous avons sélectionné pour vous quelques circuits pour randonner le temps d'un week-end ou pendant vos vacances.

Deux jours

1er jour : de Mérens-les-Vals au refuge des Bésines par la variante du sentier GR® 107, 5 h 30, *voir p. 107.*
2e jour : du refuge des Bésines à Mérens-les-Vals par l'Hospitalet-près-l'Andorre, *voir p. 11 et 63 à 59.*

Trois jours

1er jour : de Porta à la cabana dels Esparvers, 3 h 55, *voir p. 69 à 73.*
2e jour : de la cabana dels Esparvers à Bellver de Cerdanya, 6 h 25, *voir p. 73 à 77.*
3e jour : de Bellver de Cerdanya à Bagà, 6 h 50, *voir p. 77 à 85.*

1er jour : de Bagà à Gresolet, 4 h 25, *voir p. 87.*
2e jour : de Gresolet à Gósol, 7 h 05, *voir p. 87 à 93.*
3e jour : de Gósol à Casanova de les Garrigues, 7 h 25, *voir p. 93 à 101.*
4e jour : de Casanova de les Garrigues à Berga, 2 h 35, *voir p. 103 à 105.*

1er jour : de Foix à Roquefixade, 5 h 15, *voir p. 31 à 33.*
2e jour : de Roquefixade à Montségur, 3 h 50, *voir p. 33 à 37.*
3e jour : de Montségur à Comus, 3 h 50, *voir p. 47 à 49.*
4e jour : de Comus au refuge du Chioula, 3 h 40, *voir p. 49 à 53.*
5e jour : du refuge du Chioula à Ax-les-Thermes, 2 h 15, *voir p. 53 à 55.*

Le balisage des sentiers (voir illustration ci-contre)

- L'accès à Montségur depuis Foix est balisé en jaune-rouge.
- L'accès à Montségur depuis Tarascon-sur-Ariège est balisé jaune, puis jaune-rouge.
- Le sentier GR® 107 est balisé blanc-rouge.
- La variante du sentier GR® 107 est balisée blanc-rouge.
- Le sentier GR® 107C est balisé blanc-rouge.

SUIVEZ LE BALISAGE
POUR RESTER SUR LE BON CHEMIN.

LE BALISAGE DES SENTIERS	GR®	GRP®	PR®
Bonne direction	=	=	=
Tourner à gauche	⌐	⌐	⌐
Tourner à droite	⌐	⌐	⌐
Mauvaise direction	✕	✕	✕

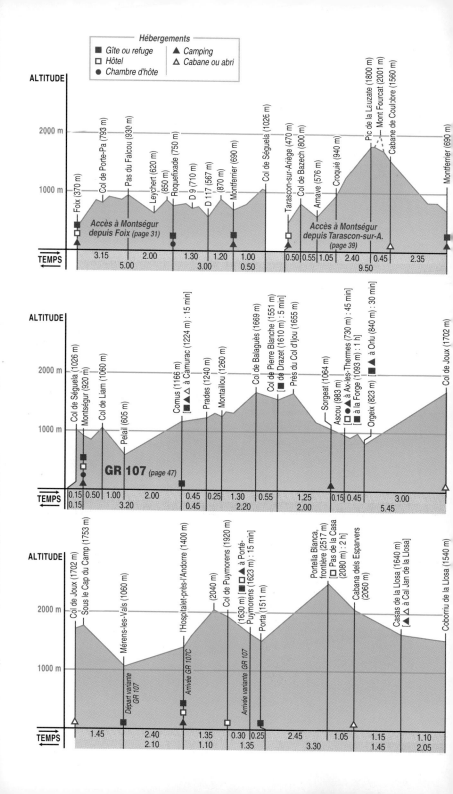

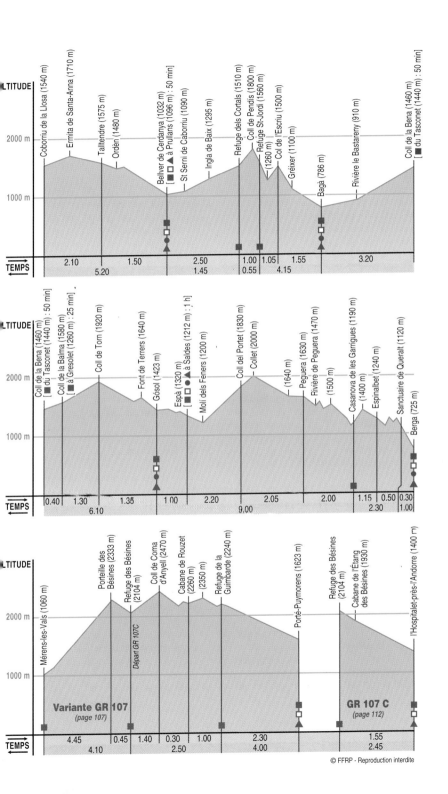

© FFRP - Reproduction interdite

Avant de partir...

■ Période conseillée, météo

• Les sentiers de Grande Randonnée® présentés dans ce topo-guide se situent en moyenne montagne. Ils sont praticables du début du printemps aux premières neiges. En début de saison, la neige peut rendre délicates certaines portions.

• Avant de partir, il est vivement recommandé de prendre connaissance des prévisions météorologiques. Suivez aussi les conseils de ceux qui vous hébergent et qui connaissent bien leur région.
- Météo Ariège, tél. 08 92 68 02 09.
- Météo Pyrénées Orientales, tél. 08 92 68 02 66.
- Météo Montagne, tél. 08 92 68 04 04.
- Météo Catalunya, tél. 906 36 53 65.

■ Les temps de marche

Les temps de marche indiqués dans les topo-guides des sentiers de Grande Randonnée® sont indicatifs. Ils correspondent à une marche effective d'un marcheur moyen.
Attention ! Les pauses et les arrêts ne sont pas comptés.
Le rythme de marche est calculé sur la base de 300 m de montée et 400 à 500 m de descente à l'heure.
Chacun adaptera son rythme de marche selon sa forme physique, la météo, le poids du sac à dos, etc.

■ Modifications d'itinéraires

Depuis l'édition de ce topo-guide, les itinéraires décrits ont peut-être subi des modifications rendues nécessaires par l'exploitation agricole ou forestière, le remembrement, les travaux routiers, etc. Il faut alors suivre le nouvel itinéraire balisé.

Ces modifications, quand elles ont une certaine importance, sont disponibles auprès du Centre d'information de la FFRP (voir «Adresses utiles») ou sur le site www.ffrp.asso.fr, à la rubrique « Les topo-guides / Les mises à jour ».

Les renseignements fournis dans ce topo-guide, exacts au moment de l'édition de l'ouvrage, ainsi que les balisages n'ont qu'une valeur indicative et n'engagent en aucune manière la responsabilité de la FFRP.
Ils n'ont pour objet que de permettre au randonneur de trouver plus aisément son chemin et de suggérer un itinéraire intéressant.

C'est au randonneur d'apprécier si ses capacités physiques et les conditions du moment (intempéries, état du sol...) lui permettent d'entreprendre la randonnée, et de prendre les précautions correspondant aux circonstances.

■ Assurances

Le randonneur parcourt l'itinéraire décrit, qui utilise le plus souvent des voies publiques, sous sa propre responsabilité. Il reste seul responsable, non seulement des accidents dont il pourrait être victime, mais aussi des dommages qu'il pourrait causer à autrui tels que feux de forêts, pollutions, dégradations, etc.
Certains itinéraires utilisent des voies privées : le passage n'a été autorisé par le propriétaire que pour la randonnée pédestre.
Le randonneur a intérêt à être bien assuré.
La FFRP et ses associations délivrent une licence ou une *Rando carte* incluant une assurance adaptée.

Se rendre et se déplacer dans la région

■ **Aéroport le plus proche**
- Toulouse / Blagnac, tél. 05 61 42 44 00.
- Barcelone, tél. 93 298 38 38.
- Aérodrome de la Cerdagne, tél. 972 89 00 88.

■ **SNCF / RENFE**
France
- Gare de Foix, tél. 05 61 02 03 60.
- Gare de Luzenac, tél. 05 61 64 48 07.
- Gare de l'Hospitalet-près-l'Andorre, tél. 05 61 05 40 78.
- Gare d'Ax-les-Thermes, tél. 05 61 64 20 72.
- Gare de Tarascon-sur-Ariège, tél. 05 61 05 62 61.
- Renseignements SNCF, tél. 08 36 35 35 35, ou 36 15 SNCF, ou www.sncf.com
Espagne
- Gare de Manresa, tél. 93 872 47 96.
- Gare de Puigcerda, tél. 972 88 01 65.
- Gare de Barcelone, tél. 93 490 02 02.
- Renseignements RENFE : www.renfe.es

■ **Cars**
France
- Cars CAP Lavelanet (Toulouse - Foix ; Lavelanet - Pas de la Case), tél. 05 61 01 54 00.
- Transports Lieures (Ax-les-Thermes), tél. 05 61 64 20 53.
- Cars Salt (Toulouse - Ax-les-Thermes), tél. 05 61 65 08 40.
Espagne
- Alsina Graells (lignes régulières Llivià-Puigcerdà-Berga-Barcelona-Bagà, et Berga-Manresa-Barcelona), tél. 93 265 68 66, tél. (Berga) : 93 821 04 85.
- Gare routière de Manresa, tél. 93 874 66 66.
- Autobus à Puigcerda (Barcelone - Vic - Puigcerda), tél. 97 214 07 06.

■ **Taxis**
Renseignements disponibles auprès des offices de tourisme (voir page 18).

Retrouvez
la FFRP
sur
internet

www.ffrp.asso.fr

● Pour connaître toute l'actualité de la randonnée.

● Pour découvrir les derniers topo-guides parus.

● Pour trouver une formation à la randonnée ou une association de randonneurs avec qui partir sur les sentiers.

■ Se loger

On peut se loger chaque soir sur l'itinéraire ou à proximité immédiate. Les formules d'hébergement sont diverses et variées (gîtes d'étape, refuges, hôtels, chambres d'hôtes ou chez l'habitant, campings, etc.). Pour les gîtes d'étapes et refuges, renseignez-vous auprès du logeur pour savoir s'il faut emporter son sac ou son drap de couchage. La réservation est vivement recommandée (des arrhes pourront vous être demandées). La liste présentée se veut exhaustive, sans jugement sur la qualité de l'accueil et le confort. Certains de ces établissements possèdent un label (Gîtes de France, Gîtes Panda, Rando Plume, Rand'hôtel, Balad'hôtel, Logis de France, etc) que nous indiquons.

■ Se restaurer

Un bon petit-déjeuner pour commencer la journée, un bon dîner le soir à l'étape : c'est cela aussi la randonnée. Là encore, les formules sont variées (repas au gîte, à l'hôtel, tables d'hôtes, restaurants, fermes-auberges, etc.). Dans certains gîtes d'étape, on peut préparer soit même son dîner et petit déjeuner, renseignez-vous auprès des propriétaires. Un forfait demi-pension est souvent proposé (nuit, dîner, petit déjeuner).

Au pied du Pedraforca.

Pour faciliter la lecture, les communes sont citées dans le sens du parcours décrit dans le topo-guide.

temps de marche en heure (retour)	(aller)	LOCALITÉS / RESSOURCES	Pages	Gîte	Cabane	Hôtel	Ch. d'hôte	Camping	Ravit.	Restaurant	OT/SI	Car	Gare
retour	aller	FOIX — Accès n°1	31	•		•		•	•	•	•	•	•
5.00	5.15	ROQUEFIXADE	31	•			•						
3.00	2.50	MONTFERRIER	33	•					•	•	•	•	
0.50	1.00	MONTSÉGUR	37	•		•	•	•		•	•	•	•
		TARASCON-SUR-ARIÈGE — Accès n°2	39			•		•		•	•	•	•
9.50	8.50	MONTFERRIER	43	•					•	•	•	•	
		MONTSÉGUR — GR 107	45	•		•	•	•		•	•	•	•
3.20	3.50	COMUS	49	•						•		•	
		CAMURAC (par variante à 15 mn)	49	•	•					•	•		
0.45	0.45	PRADES	49								•		
2.25	2.55	REFUGE DU DRAZET	53	•									
2.00	1.30	SORGEAT	53							•	•		
		LA FORGE (par variante, à 1 h)	55	•									
		AX-LES-THERMES (hors GR à 45 mn)	55			•	•	•		•	•	•	•
		ORLU (par variante, à 30 mn)	55	•						•	•		
5.30	5.35	MÉRENS-DU-HAUT	59	•									
0.15	0.10	MÉRENS-DU-BAS	59							•	•	•	•
2.10	2.40	L'HOSPITALET-PRÈS-L'ANDORRE	63	•		•			•	•	•	•	•
1.10	1.35	COL DE PUYMORENS	63			•					•		
0.50	0.30	PORTÉ-PUYMORENS	65	•		•			•	•	•	•	•
0.45	0.25	PORTA	69	•									•
		PAS DE LA CASA (hors GR à 2 h)	69			•				•	•	•	
3.30	3.55	CABANA DELS ESPARVERS	73		•								
1.45	1.15	CAN JAN DE LA LLOSA	73		•					•			
7.25	5.10	BELLVER DE CERDANYA	77	•		•	•	•		•	•	•	
		PRULLANS* (hors GR à 50 mn)	77	•		•	•			•	•	•	
1.45	2.50	REFUGE DELS CORTALS	81	•									
0.55	1.00	REFUGE ST-JORDI	85	•									
4.15	3.00	BAGA*	85	•		•	•	•		•	•	•	
		TASCONET* (hors GR à 50 mn)	87	•							•		
		GRESOLET (hors GR à 25 mn)	87	•									
6.10	7.05	GOSOL*	91	•		•	•	•		•	•	•	•
		SALDES* (hors GR à 1 h)	93	•		•	•			•	•	•	•
9.00	7.25	REF. CASANOVA DE LES GARRIGUES*	101	•									
2.30	2.05	QUERALT	105							•	•		
		BERGA* (hors GR à 30 mn)	105	•		•	•	•		•	•	•	•
		MERENS-LES-VALS — variante GR 107	107	•								•	•
4.10	5.30	REFUGE DES BESINES	107	•									
2.50	3.10	REFUGE DE LA GUIMBARDE	109	•									
4.00	2.30	PORTE-PUYMORENS	109	•		•			•	•	•		•
		L'HOSPITALET-PRÈS-L'ANDORRE — GR 107C	111	•		•			•	•	•	•	•

Gîte d'étape, centre d'acceuil refuge gardé (en saison)   Hôtel   Camping   Restaurant   Car

Cabane, abri   Chambre d'hôte   Ravitaillement   OT/SI   Gare

* centres équestres   les cafés ne figurent que dans le descriptif.

Liste des hébergements

Pour faciliter la lecture, les hébergements sont cités dans le sens du parcours.

Pour les autres possibilités d'héberge-ments, se renseigner aux Comités départe-mentaux du tourisme *(voir p. 18)*.

Pour les hébergements catalans, seuls sont indiqués les refuges et les hébergements membres du Conseil Régulateur Cami dels Bons Homes.

Accès à Montségur depuis Foix
• Foix (09000)
- nombreuses possibilités d'hébergements, se renseigner à l'Office du tourisme.
- Centre d'accueil Léo Lagrange, 50 places, tél. 05 61 65 09 04.

• Roquefixade (09300)
- Gîte d'étape, 12 places, restauration, petit déjeuner, panier repas, coin cuisine, ouvert toute l'année, tél. 05 61 03 01 36.
- Gîte d'étape, Relais des Pogs, 19 places, restauration, petit déjeuner, panier repas, coin cuisine, ouvert toute l'année, Mme Chevret, tél. 05 61 01 14 50.

• Montferrier (09300)
- Centre d'accueil La Freychède, 20 places, restauration, petit déjeuner, panier repas, coin cuisine, ouvert toute l'année, tél. 05 61 01 10 38.
- Le Paquetayre, (à 1,5 km au Sud de Montferrier) 2 gîtes indépendants, 2 à 4 et 2 à 8 places, 3 chambres, 8 places, tél. 05 61 03 05 29.

Accès à Montségur depuis Tarascon-sur-Ariège
• Tarascon-sur-Ariège (09400)
- nombreuses possibilités d'hébergements, se renseigner à l'Office du tourisme.

• Cabane du Coulobre
Abri 4 places.

• Montferrier (09300)
- Centre d'accueil La Freychède, 20 places, restauration, petit déjeuner, panier repas, coin cuisine, ouvert toute l'année, tél. 05 61 01 10 38.
- Le Paquetayre, (à 1,5 km au Sud de Montferrier) 2 gîtes indépendants, 2 à 4 et 2 à 8 places, 3 chambres, 8 places, tél. 05 61 03 05 29.

Le sentier GR® 107
• Montségur (09300)
- Gîte d'étape, 25 places, petit déjeuner, panier repas, coin cuisine, ouvert du 1/4 au 11/11, Mauricette Costes, tél. 05 61 01 08 57.
- Hôtel-restaurant *Costes*, 21 places, ouvert du 1/4 au 11/11, Mauricette Costes, tél. 05 61 01 10 24.
- Chambre d'hôtes « l'Oustal », 46 rue du Village, M. Germa, tél. 05 61 02 80 70.

• Comus (11340)
- Gîte d'étape, 15 places, Mme Pagès, tél. 04 68 20 33 69.

• Camurac (11340) (par variante)
- Gîte d'étape, Amicale des randonneurs, 20 places, Daniel Peters, tél. 04 68 20 73 31.
- *Auberge du Pays de Sault*, 33 places, G. Terranova, tél. 04 68 20 32 09.
- Camping *Les Sapins*, M. Darouis, tél. 04 68 20 38 11.

• Refuge du Drazet (09110 Ignaux)
- Domaine du Chioula, 20 places, petit déjeuner, panier repas, tél. 05 61 64 20 00 ou 05 61 64 06 97 ou 06 74 45 16 64 ou 04 68 20 71 57.

• Sorgeat (09110)
- Camping *La Prade*, Mme Laurent, tél. 05 61 64 36 34.

- La Forge (09110 Ascou) (par variante)
- Gîte d'étape, 20 places, tél. 05 61 03 67 95.

- Ax-les-Thermes (09110) (hors GR)
- Hôtel *Le Grillon*, 32 places, ouvert toute l'année, Philippe Jugie, tél. 05 61 64 31 64.

- Orlu (09110) (par variante)
- *Le Relais Montagnard*, 52 places, restauration, petit-déjeuner, panier repas, ouvert toute l'année, M. Gomes, tél. 05 61 64 61 88.
- Refuge d'En beys, J.C. Cazette, tél. 05 61 64 24 24.

- Col de Joux : abri 5 places.

- Mérens-les-Vals (09390)
- Gîte d'étape, 45 places, restauration, petit-déjeuner, panier repas, coin cuisine, ouvert du 1/1 au 14/11 et du 16/12 au 31/12, Stéphanie Fabert, tél. 05 61 64 32 50.

- L'Hospitalet-près-l'Andorre (09390)
- Gîte d'étape, 39 places, chambres 2 à 6 personnes, tél. 05 61 05 23 14.
- Refuge des Bésines, refuge de montagne, tél. 05 61 05 22 44.

- Col de Puymorens
- *Hôtel du Col*, M. Chapel, tél. 04 68 04 86 78.

- Porté-Puymorens (66760)
- Gîte d'étape, 33 places, Nathalie Komaroff, tél. 04 68 04 95 44.

- Porta (66760)
- Gîte d'étape, 28 places, centre équestre, Yveline Roard-Enoff, tél. 04 68 04 83 92.

- Pas de la Case
- Nombreuses possibilités d'hébergements, se renseigner à l'Office du tourisme.

- Cabana dels Espavers : abri 6 places.

- Cal Jan de la Llosa
- Aire de camping, location de tentes, tél. 973 29 30 46 ou 972 88 05 54.

- Bellver de Cerdanya (25720)
- Fonda Byaina, C/ Sant Roc 11, 34 places, tél. 973 51 04 75.
- *Hôtel Bellavista*, Crta. Puigcerdà, 45, 124 places, tél. 973 51 00 00.
- Hôtel Cal Rei, Tallo s/n, 35 places, tél. 973 51 10 96.
- Casa de colonies *Rectoria de Pedra*, tél. 973 51 11 61.
- Casa de colonies Ridolaina, Cal Pitre, Santa Eugènia, tél. 973 29 30 03.

- Refuge dels Cortals
- refuge gardé et meublé, 10 à 14 places, tél. 626 88 11 51.

- Prullans (25727) (hors GR)
- Hôtel-Aparthôtel Muntanya, C/ Puig, 3, tél. 973 51 02 60.

- Bagà (08695)
- Refugi Sant-Jordi : Sota Coll de Pendis, 44 places, 6 places non gardées en hiver, tél. 669 89 48 07.
- Hostal *Cal Batista*, Raval s/n, tél. 938 24 41 26.
- Hôtel-Fonda *CA L'Amagat*, C/ Clota, 4, tél. 938 24 40 32.
- Hostal *La Pineda*, C/ Raval, 50, tél. 938 24 45 15.
- Hostal *Santuari de Paller*, tél. 937 44 10 41.

- Refugi Cal Tesconet (Gisclareny 08695) (hors GR)
- Refuge, 20 places, tél. 938 24 42 40 ou 608 49 33 17.

- Refugi Gresolet (Saldes 08699) (hors GR)
- Refuge, tél. 689 38 27 81.
- Cabana del Bover : abri.

• Gosól (08699)
- Hostal *Cal Francisco*, Ctra. Berga, s/n, tél. 973 37 00 75.

• Saldes (08699) (hors GR)
- Camping *Repos del Pedraforca*, tél. CB 400, km 13,5, tél. 938 25 80 44.
- Residencia *Casa-Pages* Cal Xic, 20 places, Cal Xic, tél. 938 25 80 81.

• Casanova de les Garrigues (Cercs 08699)
- Refuge 64 places, accueil chevaux, tél. 938 21 21 21.

• Berga (08600)
- Hôtel *Cal Nen*, Dressera de Queralt, s/n, tél. 938 21 00 27.
- Hôtel *Passasseres*, Pg. dels Abeuradors, s/n, tél. 938 22 08 38 ou 938 21 06 45.
- Hôtel *Queralt*, Pl. de la Creu, 4, tél. 938 22 27 31 ou 938 21 06 11.
- Hôtel *Estel*, Ctra. St. Fruitos 39, tél. 938 21 34 63.
- Alberg de Berga, C/Vila de Casserres, 5, tél. 626 48 27 22.
- Camping Berga Resort, S.L., Ctra. C-1411 km 75, tél. 938 21 12 50.
- Gîte *El Cobert de Vilaformiu*, apartat 109, tél. 938 21 21 21.

La variante du sentier GR® 107

• Mérens-les-Vals (09390)
- Gîte d'étape, 45 places, restauration, petit-déjeuner, panier repas, coin cuisine, ouvert du 1/1 au 14/11 et du 16/12 au 31/12, Stéphanie Fabert, tél. 05 61 64 32 50.

• Refuge des Bésines, 56 places, Claude Perry, tél. 05 61 05 22 44.

• Refuge de la Guimbarde, 4 à 5 places.

• Porté-Puymorens (66760)
- Gîte d'étape, 33 places, Nathalie Komaroff, tél. 04 68 04 95 44.

Le sentier GR® 107C

• L'Hospitalet-près-l'Andorre (09390)
- Gîte d'étape, 39 places, tél. 05 61 05 23 14.
- *Hôtel du Puymorens*, 31 places, ouvert toute l'année, Mme Rouan, tél. 05 61 05 20 03.

> Malgré nos vérifications, des oublis ou erreurs ont pu se glisser, notamment dans la liste d'hébergements. De nouveaux établissements ont pu s'ouvrir, d'autres fermer, des numéros de téléphone ont pu changer, depuis l'édition de ce topo-guide. Merci de nous le signaler ; nous en tiendrons compte dans la prochaine édition.

S'équiper et s'alimenter pendant la randonnée

■ S'équiper pour une randonnée

Pour partir à pied plusieurs jours dans la nature, mieux vaut emporter un minimum d'équipement :
- des vêtements de randonnée adaptés à tous les temps ; des chaussures de marche ; un sac à dos ; un sac et un drap de couchage.
- des accessoires indispensables (gourde, couteau, pharmacie, lampe de poche, boussole, chapeau, bonnet, gants, lunettes de soleil et crème solaire, papier toilette et couverture de survie).

■ S'alimenter pendant la randonnée

Pensez à vous munir d'aliments énergétiques (barres de céréales, fruits secs...). Pensez aussi à boire abondamment, mais attention à ne pas prendre n'importe quelle eau en milieu naturel. Munissez-vous dans ce cas de pastilles purificatrices.

Amis cavaliers et V.T.Tistes

Le chemin peut se faire en partie à cheval, il y a cependant quelques variantes adaptées aux chevaux, balisées et entretenues. Différents professionnels français et espagnols proposent cet itinéraire et offrent divers services (randonnée accompagnée, location de chevaux, intendance de gîte en gîte, balades sur des portions de l'itinéraire.)

Centres équestres en France :
- Comité Départemental de Tourisme Equestre, 32, avenue du Général de Gaulle, 09000 Foix, tél. 05 61 02 14 39.
- Bureau des Guides Equestres Transpyrénéens, BGET, Mairie 09600 Dun, tél. 05 61 69 01 99 ou email : www.equipyrene.com.
- Ferme équestre d'En Garcie, Nathalie Komaroff, Portet-Puymorens : accueil de chevaux, randonnées de plusieurs jours, hébergement, restauration, promenades à cheval, tél. 04 68 05 95 44.
- Les Cavaliers des étoiles, Marie Line et Laurent Levoyer, DUN : accueil de chevaux, randonnées au long court, promenades à cheval, tél. 05 61 54 71 03.
- Equilibre, Pierre Enoff, Porta : Gîte, randonnées et promenades à cheval, accueil de chevaux, tél 04 68 04 83 92.
- Ferme équestre des Sapins, Camurac, Rosi Dabouis : promenades, randonnées et accueil de chevaux, camping, tél. 04 68 20 38 11.

Centres équestres en Espagne :
- Associació Marxes a Cavall de Catalunya, C/ Major s/n 08901 L'Hospitalet de Llobregat, tél. 629 92 03 53.
- Casa de turismo rural Vilaformiu (Bernat) Berga, excursions de Baga à Saldes. Accueil des chevaux et hébergement des cavaliers, tél. 93 821 21 21.
- Alberg la Closa (Edouard), Castellar de n'Hug. Randonnées sur le Chemin des Bonshommes depuis Castellar de n'Hug jusqu'à Baga, et possibilité de faire d'autres tronçons. Accueil de chevaux et hébergement, tél. 93 825 71 25.

- Associacion de Los Centros Ecuestres del Pireneo ACEP, Santiago Serrano, Hipic Sascumes 25530 Vielha, tél. 97 364 08 88.
- La Cerdanya a quatres potes, ctra, N-260, Km 200, Prullans. Randonnées de Prullans à Montségur (5-6 jours), ou tout le Chemins des Bonshommes depuis Queralt à Montségur (9 jours). Accueil de chevaux, tél. 97 351 06 69.
- El Jou, s/n Guardiola de Bergueda 08694, tél. 93 823 64 14.
- Elisabeth Sau Soler, C/Verge de Paller 7, Bagà 08695. Randonnées de Baga à Bellver de Cerdanya. Accueil de chevaux à Baga, tél. 93 824 44 00.
- Hipica Serra d'Abaix, Ctra. de Maçaners, Saldes 08699. Sorties de un ou deux jours de Saldes à Baga. Accueil de chevaux et hébergement des cavaliers, tél. 93 744 10 29.

A partir de ces professionnels, il existe divers hébergements tout au long du chemin qui accueillent les chevaux.
Vous pouvez choisir de faire la randonnée de façon programmée, mais vous pouvez aussi contacter directement les professionnels, le Bureau des Guides Equestres Transpyrénéens, ou certaines des agences de voyage membres du Consell Regulador de Cami dels Bons Homes.

Le Chemin des Bonshommes en VTT :
Certaines portions, en France, ne sont pas praticables à VTT :
- de Foix au Pech de Foix
- au cantonnement du mont Fourcat
- dans la descente de Monségur à Pélail
- passage des gorges de la Frau
- passage de la Porteille d'Urgex
- descente du col de Joux vers Mérens
- montée de la Portella Blanca
Certaines portions, en Espagne, ne sont pas praticables à VTT. Il existe un topoguide pour faire le chemin en VTT, qui explique toutes les variantes du GR.
Vous pouvez vous le procurer au Consell Regulador Cami dels Bons Homes (Bagà 08695), tél. 93 824 41 51 .

Adresses utiles

■ Les Comités départementaux de tourisme

France

- Comité départemental du tourisme Ariège Pyrénées, 31 bis, avenue du Général de Gaulle, BP 143, 09004 Foix cedex, tél. 05 61 02 30 70, fax 05 61 65 17 34, internet : www.ariegepyrenees.com
- Service Loisirs Accueil Ariège Pyrénées, tél. 05 61 02 30 80, fax 05 61 65 17 34.

Espagne

- Consell Regulador del Camí dels Bons Homes, C/ de la Vinya, 1, Bagà, tél. 93 824 41 51.
- Àrea Comarcal de Turisme del Berguedà, Berga, CC1411, tél. 93 822 15 00.
- Oficina de Turisme de la Cerdanya, Ctra N152, Puigcerdà, tél. 972 14 06 65.

■ Offices de tourisme, Syndicats d'initiative ou points d'informations

France

- Ax-les-Thermes, tél. 05 61 64 60 60, internet : www.vallees-ax.com
- Foix, tél. 05 61 65 12 12.
- Lavelanet, tél. 05 61 01 22 20, e-mail : lavelanet.tourisme@wanadoo.fr.
- Monferrier, tél. 05 61 01 14 14.
- Montségur, tél. 05 61 03 03 03.
- Tarascon-sur-Ariège, tél. 05 61 05 94 94.
- Pas de la Case, tél. 04 68 04 82 16.

Espagne

- Bellver de Cerdanya, tél. 973 51 02 29.
- Bagà, tél. 93 824 41 51.
- Gosol, tél. 973 37 00 55.
- Berga, tél. 93 821 13 84.

■ Randonnée pédestre

- Centre d'information *Sentiers et Randonnée* de la FFRP, 14, rue Riquet, 75019 Paris, tél. 01 44 89 93 93, fax 01 40 35 85 67, e-mail : info@ffrp.asso.fr.
- Comité Départemental de la Randonnée Pédestre de l'Ariège, Richard Danis, Le Poumarol, 09000 St-Pierre-de-Rivière, cdrp.09@wanadoo.fr.
- Comité Départemental de la Randonnée Pédestre de l'Aude, Eliane Pech, 2, rue Louis de Martin, 11000 N arbonne.
- Comité Départemental de la Randonnée Pédestre des Pyrénées-Orientales, 3, rue Edmond Bartissol, 66000 Perpignan.
- Sentiers Transfrontaliers Pyrénéens, La Bayche, 09600 Dun, tél. 05 61 69 01 99.
- Associació d'Amics i Accompanyadors del Parc Natural Cadí-Moixeró, C/ de la Vinya, 1, Bagà, tél. 93 824 41 51.
- Barcelona Infosender (Sentiers de Catalunya), Rambla, 41, Barcelona, tél. 609 33 48 72.

■ Accompagnateurs en montagne

France

- Bureau des guides des vallées d'Ax, tél. 05 61 64 31 51.
- Ingrid Sparbier, 09500 Mirepoix, 05 61 68 29 14.

Espagne

Seuls sont indiqués les accompagnateurs en montagne membres du Conseil Régulateur Camí dels Bons Homes.

- Joan Tor, Cal Pedrals, Gisclareny, tél. 93 824 41 11.
- Jordi Pau Caballero, Cisneros, 3, tél. 608 94 59 25, La Pobla De Lillet (08694)
- Ramon Martí, C/ Pinsania, s/n, Berga, tél. 93 822 17 98.
- Montse Fernandez, C/ Vista Alegre, 11, tél. 97 337 01 26, Gosol.
- Pere Cascante, C. de St Sebastia, s/n, tél. 93 824 41 20, Bagà.
- Tot Turisme SL Plaça Sant Joan, 5 Berga, tél. 93 822 17 02.
- Cadi-Tours, agencia de viatges, C. Major, 77, tél. 97 335 36 54, La Seu d'Urgell.
- Cingles-Serveis Educatius i Turistics, OIT de Castellar de n'Hug, tél. 93 825 70 97.

- Promolleure, La Pobla de Lillet, tél. 93 823 64 14.
- Guias de Meranges, Refgi de Malniu, tél. 93 825 71 04 et 616 855 535.
- Turing
- Altitud Extrem, Guies de Muntanya, oficina de Turisme de Guardida de Bergued, tél. 689 13 85 02.

■ Sites Internet
- www.camidelsbonshomes.com
- www.sentiers-pyreneens.com

- www.diba.es/turismetotal
- www.ajberga.es
- www.gencat.es/mediamb/pn/cparcs.htm
- www.cc-paysdolmes.fr

■ Divers
- Carrière de talc de Trmouns, Luzenac, tél. 05 61 64 60 60.
- Les aigles du château de Lordat, tél. 05 61 01 34 22.
- La maison des Loups à orlu, tél. 05 61 64 02 66.

Bibliographie, cartographie

■ Connaissances géographiques et historiques de la région
- Michel Chevalier, *D'Ariège*, éd. Ouest France, 1985.
- Claudine Pailhes, *L'Ariège des comtes et des Cathares*, éd. Milan, Toulouse, 1992.
- Max et Denis Dejean, *Découvrir l'Ariège*, Le Coteau, éd. Horvath, 1990.
- Lisette Bourdie, *Ariège d'hier et d'aujourd'hui*, éd. Daniel Briand, 1989.
- H. Duclos, *Histoire des Ariègeois* (7 volumes), éd. Milan, Toulouse, réédition en 1984 de la première édition de 1881.
- Emmanuel Leroy Ladurie, Montaillou, village occitan.
- Anne Brenon, collection découverte, éd. Gallimard.
  De Robert Olivier, *Le dernier souffle du catharisme*, éd. Lacourt, 1999.
- Els heretges catalan, Jordi Ventura, éd. Selecta Barcelona, 1976.
- Càtars i catarisme a Catalunya, Anna Adroer i Pere Català, éd. Rafael Dalmau, Barcelona, 1996.
- Cronica dels càtars, Xavier Escura, éd. Signament, Barcelona, 1996.

■ Guides touristiques et topo-guides
- Georges Veron, *Haute randonnée pyrénéenne*, éd. Randonnées pyrénéennes.
- *Le Sentier Cathare*, éd. Randonnées

pyrénéennes.
- *24 Balades et Randonnées en Pays d'Olmes*, c/c Pays d'Olmes 2001 - 05 34 09 33 80.
- *D'un village à l'autre en vallées d'Ax*, Syndicat de développement des vallées d'Ax, 2001.
- *Topoguià de la Ruta dels Catàrs* (GR 107), version catalane. Esperança Holgado, Jordi Garcia Petit, Xavier Escura, éd. Altaïr & CFI Barcelona 1998.

■ Cartographie
• Cartes IGN au 1 : 25 000 :
Série *Top 25* n° 2247 OT, 2148 ET, 2249 OT.
• Carte IGN au 1 : 100 000 : n° 71.
• Carte Michelin au 1 : 200 000 : n° 235.
• Institut Cartogràfic de Catalunya Mapa Comarcal de Catalunya 1 : 50 000 : Bergedà - n° 14, Cerdanya - n° 15.
• Cahner Max : Gran Geografia Comarcal de Catalunya n° 9 et 14, éd. Gran Enciclopèdia Catalana.
• Llobet Salvador : Guia Cartogràfica i mapa : 1 : 25 000, éd. Alpina.

■ Hébergements
- *Gîtes d'étape et refuges*, A. et S. Mouraret, Rando-Éditions.
- *Hébergements en montagne*, éd. Randonnées Pyrénéennes.

La randonnée : une passion FFRP !

Des sorties-randos accompagnées, pour tous les niveaux, sur une journée ou un week-end : plus de 2000 associations sont ouvertes à tous, dans toute la France.

Un grand mouvement pour promouvoir et entretenir les 180 000 km de sentiers balisés. Vous pouvez vous aussi vous impliquer dans votre département.

FF*R*P

Des stages de formations d'animateurs de randonnées, de responsables d'association ou encore de baliseurs, organisés toute l'année.

Une garantie de sécurité pour randonner bien assuré, en toute sérénité, individuellement ou en groupe, grâce à la licence FFRP ou à la RandoCarte.

Pour connaître l'adresse du Comité de votre département, pour tout savoir sur l'actualité de la randonnée et découvrir la collection des topo-guides :

www.ffrp.asso.fr

Centre d'Information de la FFRP
14, rue Riquet 75019 Paris - Tél : 01 44 89 93 93
Ouvert du lundi au samedi de 10h à 18h.

Réalisation

Ce topo-guide a été réalisé par la Fédération Française de la Randonnée Pédestre avec l'appui du Conseil Général de l'Ariège et :

En Espagne :
- la Diputacion de Barcelone, service sports et tourisme,
- le CFI de Cercs-Berguedà,
- le Parc Naturel du Cadí Moxeiró,
- la Fédération Catalane d'Excursionnistes.

En France :
- Ariège Expansion,
- le Comité Départemental du Tourisme Ariège-Pyrénées,
- les Comités Départementaux de Randonnée Pédestre de l'Ariège, de l'Aude et des Pyrénées Orientales,
- l'Office National des Forêts,
- le bureau des guides et accompagnateurs des vallées d'Ax : Vincent Sabadie et Olivier de Robert.

- André Koess, chargé de mission randonnée au Conseil général de l'Ariège.
- René Talieu, président de la commission sentier de l'Ariège.
- Sentiers Transfrontaliers Pyrénéens, 09600 DUN.

Ce programme a bénéficié du soutien de l'Union Européenne dans le cadre du programme Interreg II.

Les mises à jour de cette édition ont été fournies par René Talieu, président de la commission sentier de l'Ariège, et Imma Espel i Casas, Consell Regulador, Cami dels Bonshomes.

Merci, pour sa participation, à l'association Sentiers Transfrontaliers Pyrénéens.

> • Les textes de découverte du patrimoine ont été rédigés par Olivier de Robert.
> • La description des itinéraires a été rédigée par Lucien Marquillo.
> • A l'exception du mouflon de la page 88, de Charles Marcelli, les illustrations sont de Jérôme Bazin.
> • A l'exception de la photographie de la page 89, de Nicolas Vincent, les photographies sont de Marc Mesplié.

Office National des Forêts

Bellver de Cerdanya.

Le Chemin des Bonshommes, entre Ariège et Catalogne

Trait d'union, d'est en ouest, entre mer Méditerranée et océan Atlantique, les Pyrénées sont aussi souvent perçues, du nord au sud comme une barrière infranchissable entre la France et la Péninsule ibérique. Et pourtant, quoi de plus faux ? Depuis des siècles les hommes circulent d'un versant à l'autre, faisant fi des frontières administratives et des chemins escarpés pour échanger marchandises, idées, savoir et rêves... C'est sur les traces de ces européens avant l'heure que nous vous invitons à nous suivre. De Montségur à Queralt, à peu près à mi chemin entre mer et océan, au cœur des Pyrénées, emboîtez le pas des derniers cathares, ces " Bonshommes " qui, fuyant l'inquisition française, choisissaient l'exil plutôt que le bûcher ou le reniement de leur foi. Dans leur sillage vous découvrirez deux régions que tout semble séparer, la montagne mais aussi la faune, la végétation, le climat, la langue... et qui pourtant sont sœurs et ont appris, au cours des siècles à se connaître et à s'apprécier.

Au tout début de votre périple, ce sont d'abord les vestiges de l'époque cathare que vous découvrirez : le château de Foix, imposante citadelle des comtes de Foix ; Roquefixade, dominant la vallée du haut de son éperon rocheux et bien sûr Montségur, symbole de l'ultime résistance des Cathares à l'Inquisition. Et encore, tout au long du parcours, jusque en Espagne, vous apercevrez çà et là, de nombreuses églises, témoins de l'art roman pyrénéen.

Outre ces traces du passé vous découvrirez au delà de Montségur, en compagnie du faucon pèlerin, hôte du lieu, les Gorges de la Frau, sombres et fraîches plongées dans les entrailles de la terre. Plus loin ce sont les forêts de hêtres et de sapin qui guideront votre route : premiers sentiers escarpés et premières odeurs de montagne, vous pénétrez dans la Haute Vallée de l'Ariège.

A Luzenac, en direction d'Ax-Les-Thermes, prenez le temps de contempler le site formidable de la carrière de Talc de Trimouns, l'une des plus

Montségur.

vaste au monde d'où proviennent 8% de la production mondiale.

Si le cœur vous en dit, vous pourrez même découvrir le cycle de production du talc : des visites du site et de l'usine sont organisées. Ne laissez pas passer cette occasion, d'ici 50 ans le filon sera ... épuisé.

Mais si la fatigue se fait déjà ressentir continuez plutôt directement vers Ax où vous pourrez faire une halte et plonger vos pieds endoloris dans l'eau chaude et sulfureuse du bassin des Ladres, voire profiter des installations thermales qui valent son nom à la ville. Vous serez alors prêt à repartir de plus belle vers les hauteurs pyrénéennes.

Au delà d'Ax, vous pénétrez dans la réserve nationale d'Orlu. L'homme se fait rare, c'est le loup qui à prit sa place à Orlu : un petit détour par la Maison des loups vous permettra de faire connaissance avec quelques spécimens de l'es-

pèce. Plus haut, sous le regard bienveillant et protecteur de la majestueuse Dent d'Orlu, c'est l'isard qui règne en maître. Edmond Rostand ne disait-il pas de lui au siècle dernier " Il n'est pas de chamois qui puisse / Me sembler beau comme un isard ". Admirez en silence cette silhouette élancée, élégante et vive qui apparaît au détour d'un rocher. Quant à la marmotte, il vous faudra vous faire très discret pour l'admirer, l'observation de ce rondouillard habitant de la montagne demande beaucoup de patience.

Alors que les occasions d'observer la faune sauvage se multiplient, la végétation se fait, elle, plus rare, plus rase : le hêtre cède la place au rhododendron, le sapin à la bruyère. Pourtant, un riche réseau de torrents et de rivières, alimenté par les neiges éternelles et les lacs, entretient un paysage verdoyant : truites fario et arc-en-ciel peuplent ces eaux claires où elles côtoient le légendaire desman de Pyrénées. N'espérez pas trop l'apercevoir, cet énigmatique rat-trompette ou rat-bouhé, se cache le jour sous quelque pierre

La Llosa.

ou racine chevelue, au bord de l'eau des ruisseaux qu'il hante. S'il bouge c'est la nuit et dans l'eau, se dirigeant grâce à sa trompe d'une incroyable sensibilité, un véritable radar. Le gypaète barbu, que vous reconnaîtrez aisément grâce à son envergure de presque trois mètres mais aussi à sa queue assez longue et pointue et à la petite barbiche qu'il porte sous le bec sera aussi votre compagnon de route. Si vous l'apercevez sachez profiter de ce spectacle aérien : l'animal est fort rare et l'observer n'est pas courant. On n'en dénombre qu'une dizaine de couples dans les Pyrénées. Quant au lagopède ou perdrix des neiges, sa meilleure défense est le camouflage, par mimétisme, grâce à son plumage changeant au fil des saisons, bon courage donc si vous souhaitez le dénicher !

Plus loin, alors que, sur les traces des " Bonshommes " mais aussi, celles, beaucoup plus tardives, des résistants français fuyant la France occupée, vous aurez franchi le col du Puymorens et la frontière espagnole, c'est un tout nouvel ami qui survolera votre marche : le pic noir, symbole du Parc du Cadí Moxeiró.

Car vous êtes désormais de l'autre côté de la frontière, le pays, la langue, mais aussi le paysage, la faune et la flore changent : alors qu'apparaît la barrière de calcaire des sierra du Cadi et du Moxeiró, un paysage étonnant et majestueux s'offre à vos yeux.

Depuis Bagà, " épicentre " du Parc trônant pourtant au sein d'une plaine verdoyante, l'horizon est barré, au nord, par les schistes gris et les calcaires, à tel point que la montagne ne semble s'arrêter, en à pic, qu'aux abords de la petite ville. Les pentes sont arides, presque hostiles, le Cadí Moxeiró reste marqué par son passé : c'est un ancien gisement de lignite, exploité, qui est aujourd'hui classé parc naturel, la sierra est enfin en paix.

Faune et flore y sont protégées et étudiées : on y trouve presque toutes les

Grand tétras.

La Pedraforca.

variétés de fleurs de montagne, de la gentiane au rhododendron, en passant par le raisin d'ours et même des fleurs endémiques très rares comme la *ramondia* ou la *xatartia* et les oiseaux y règnent en maître, aigle royal et grand tétras mais aussi de nombreuses espèces qui en ont fait leur domaine.

Mais si les traces de l'homme vous intéressent, le petit village de Pobla de Lillet, un ancien village minier situé entre Castellar de n'Hug et Bagà, cache des trésors : une papèterie et une carrière désaffectée et un jardin né de l'imagination fantasque de Gaudí, le père de la célèbre Sagrada Familia, à Barcelone.

Alors que le périple touche à sa fin, c'est la Vallée du Llobregat qui, vers le sud, s'ouvre vers Gósol, Berga et Barcelone qui sera

désormais votre guide.
La Pedraforca, " la fourche de pierre " vous domine de ses 2497 mètres. Nul doute qu'elle en impressionnera certains mais séduira les amateurs d'escalade.

Et c'est après avoir croisé Picasso, à Gósol et sa porteuse de pain que vous renouerez avec la civilisation et atteindrez Queralt, but ultime de la traversée pyrénéenne. Ayez alors une pensée émue pour ces Bonshommes qui, épuisés, apeurés, ont vu poindre, si longtemps avant vous, la silhouette du Sanctuaire.

Berga.

Les Cathares : le destin inachevé

Les temps de doute

Au détour de l'an Mil, la vieille Eglise occidentale n'en finissait pas de repousser les tentatives de réforme. Nombreux étaient ceux qui voulaient revenir aux préceptes fondamentaux du Christ et rejetaient ouvertement la liturgie et le pesant protocole de l'Eglise officielle. Ce fut le temps des " nouveaux apôtres " : moines défroqués ou laïques enflammés, des hommes s'en allèrent par les chemins pour clamer les valeurs de l'Evangile à un peuple en quête de modèles de sainteté. La plupart d'entre eux durent se résigner face au mur de l'intolérance, mais certaines idées survécurent à leurs instigateurs et prirent racine dans l'esprit de leurs contemporains, pour se mettre à croître et embellir...

Proches des gens de leur siècle, sachant répondre à leurs angoisses et à leurs doutes, ces " Bonshommes " ou " Bons Chrétiens ", comme ils plaisaient à se nommer, firent de nombreux adeptes par la seule force de la parole et de l'exemple. Incapable de fournir une réponse adaptée, l'Eglise officielle fut rapidement débordée et ne put empêcher " l'Eglise des Apôtres " de gagner des régions entières. Ce fut notamment le cas du Midi toulousain où la noblesse locale adhéra largement à la nouvelle religion.

A Gósol.

Corbella.

La Croisade

Mais ces idées nouvelles vinrent se heurter à une Eglise accrochée à ses privilèges et d'un débat théologique on en vint bientôt à une crise ouverte où la politique glissa son poison... Après quelques tentatives de conciliation, comme celle de Saint-Dominique, on en vint aux armes et le Pape Innocent III en appela à la Croisade contre les " hérétiques " ou les " nouveaux manichéens ". Et au printemps 1209, l'étendard de la Religion flottait haut pour justifier un affrontement militaire et politique qui deviendra celui de la couronne de France contre le comté de Toulouse...

La guerre fut longue et cruelle et la région que vous traverserez paya cher son attachement aux Bonshommes et sa fidélité au comte de Toulouse : les armées croisées attaquèrent les places fortes et ravagèrent le pays. Malgré l'engagement du roi d'Aragon dans le conflit, en 1213, et sa mort à la bataille de Muret, la Catalogne échappa aux combats. Mais sur le versant nord des Pyrénées, le bruit des armes ne prit officiellement fin qu'en 1229 avec la défaite militaire et politique du comte de Toulouse. Ce dernier signa cette année là le Traité de Meaux, qui laissait le champ libre à une répression méthodique de la religion interdite. On créa alors pour cela l'un des plus terribles instruments de répression de l'histoire : l'Inquisition.

L'Inquisition

Véritable police religieuse, l'Inquisition était menée par quelques hommes incorruptibles qui traquaient les " mauvaises pensées " de leurs contemporains en s'appuyant sur la délation et la peur.

Montségur.

Si leurs premières cibles furent les nobles et les notables, coupables de croire ou simplement d'aider les " hérétiques ", ils s'attaquèrent vite aux petites gens, artisans, marchands ou paysans, décidés à éradiquer totalement le mal de la société... Les effets de cette terrible mécanique de répression furent tels que rapidement, les Bonshommes ne purent se cacher dans les châteaux ou les villes, et durent chercher refuge dans les sites les plus discrets ou les plus inaccessibles. Ce fut notamment le cas du château de Montségur, où ils étaient installés à demeure depuis 1204 et qui devint en 1232 le point de rencontre et le refuge des proscrits.

Montségur

Cette ultime place forte, défi au roi et au pape, fut pris après un long siège, et plus de deux cents personnes montèrent sur le bûcher le 16 mars 1244. Pour les vainqueurs comme pour les vaincus, Montségur devint alors un symbole, celui de la fin de " l'Eglise des Apôtres ". Pourtant celle-ci persista encore long-temps dans le silence des montagnes du Comté de Foix. C'est ainsi qu'entre 1250 et 1310, la Haute Vallée de l'Ariège devint l'ultime terre de refuge des Bonshommes, le dernier bastion de résistance pour une poignée d'hommes et de femmes à qui l'histoire allait donner un nom choisi par les vainqueurs : les Cathares.

Berga.

A la Seu d'Urgell.

Le dernier souffle du catharisme

L'ultime soubresaut parti d'Ax-les-Thermes, où un Bonhomme nommé Pierre Autier réussit à réformer quelques fidèles et à donner de nouveaux cadres à son Eglise. Mais l'Inquisition veillait, et à aucun moment son ardeur ne faiblit... Pourchassés, traqués, les derniers Bonshommes n'eurent alors d'autre choix que celui de l'exil. Ils se tournèrent assez naturellement vers les terres catalanes avec qui les comtes de Foix maintenaient des relations : protégés plus ou moins ouvertement par les seigneurs de la vallée de l'Ariège, ils savaient que l'Inquisition aurait du mal à les trouver en ce pays où elle était mal implantée. Castelbo, Josa ou Berga devinrent alors des lieux de retrouvailles pour les Bonshommes en fuite.

Si leurs déplacements nous sont attestés par les archives, il n'en reste pas moins que le contact entre les deux versants fut plutôt assuré par les bergers, dont certains étaient gagnés par les idées cathares. Ils effectuaient chaque année de longues transhumances pour mener leur bêtes le plus loin possible au sud. Difficiles à localiser, en perpétuel mouvement, formant des équipes où se rencontraient Ariégeois, Catalans, Andorrans et Aragonais, ils échappèrent aux recherches et aux persécutions pendant de longues années. Mais le persévérant évêque Jacques Fournier les fit poursuivre jusqu'au cœur des montagnes, et plusieurs d'entre eux finirent leur vie en prison...

Accès à Montségur depuis Foix

De Foix au pas du Falcou `3 h 15`

À Foix : 🏠 🏛 🏕 ⛺ 🛒 ✕ ℹ️ 🚌 🚃

❶ Quitter la gare SNCF de **Foix** (370 m) en se dirigeant vers la droite, et atteindre la N 20. Emprunter la rue montant à gauche, puis monter à droite par le chemin du Pech. A la bifurcation aller à droite, franchir deux clôtures. Passer sous les ruines de Jean Germa et atteindre la fontaine de Labat.

❷ Aller à droite, longer la ligne H.T. en traversant une clairière, contourner un champ par la gauche, puis suivre un large chemin jusqu'à un virage à gauche. S'engager vers l'Est dans un sentier et atteindre les ruines de Pech de Naut (817 m) ; poursuivre jusqu'à la crête.

❸ Emprunter à droite le chemin charretier passant sur le versant Nord du Pech de Foix (860 m), puis descendre vers le col de Porte-Pa (793 m). Emprunter la piste forestière montant vers l'Est, versant Nord du Pic de la Crouzette. Rapidement, la piste continue à flanc sous la hêtraie. Passer une barrière et atteindre un virage.

❹ Monter à droite au col de Touron (851 m). Emprunter le chemin descendant à gauche sur une clairière. Franchir une clôture, traverser la clairière et suivre le chemin qui remonte rapidement. Passer sous la ligne H.T. puis quitter le sous-bois pour longer la lisière de la forêt. Laisser le chemin qui part à l'Est et prendre au Nord-Est dans les buis. rejoindre la route forestière sur le versant Nord au **pas du Falcou** (930 m).

Du pas du Falcou à Roquefixade `2 h`

À Roquefixade : 🏠 🖼

Au **pas du Falcou**, suivre la piste forestière jusqu'à l'embranchement, remonter par le chemin de droite dans la hêtraie, puis redescendre jusqu'au sentier de Lesponne. Prendre à gauche vers Charillon (770 m), rester sur la piste du bas et contourner les bâtiments de l'exploitation par la gauche. Atteindre le creux du vallon des Goulèses *(fontaine)* et remonter entre les pâturages.

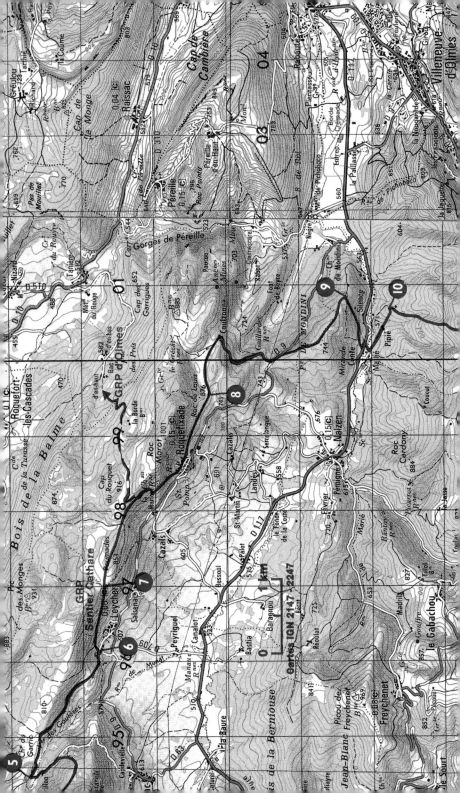

5 Suivre à droite un chemin en descente. Laisser deux embranchements à gauche, passer sous une croix et arriver à Leychert (620 m). Suivre la route vers la gauche sur 100 m.

6 Monter à gauche et passer au pied d'une croix. Laisser un embranchement à gauche et atteindre un collet (781 m).

7 Suivre le chemin de crête vers le Sud-Est. Continuer à niveau et franchir une barrière. Laisser un embranchement à droite et rejoindre un large chemin que l'on emprunte à droite pour arriver sur une piste.

▶ Jonction avec le sentier GRP® d'Olmes.

Descendre à droite pour passer sous le château et arriver au village de **Roquefixade** (750 m).

De **Roquefixade** à la **D 117**   `1 h 30`

Passer derrière l'église de **Roquefixade**, au carrefour aller tout droit en montée et rejoindre un large chemin ; le suivre vers la droite. Passer au pied de la stèle à la mémoire des résistants de Roquefixade.

8 Emprunter le chemin de gauche, dépasser une grange, laisser un embranchement à gauche et arriver à Coulzonne (790 m). Traverser le village et descendre par la route jusqu'à la D 9 (710 m). Emprunter le chemin en sous-bois, montant en face. Franchir un premier portail, puis au deuxième, suivre le chemin montant à droite. Bientôt changer de versant, descendre en longeant une clôture puis des pâturages jusqu'à une bifurcation.

9 Monter légèrement à droite, puis poursuivre la descente par un large chemin en laissant plusieurs embranchements à gauche jusqu'à la **D 117** (567 m).

De la **D 117** à **Montferrier**   `1 h 20`

À Montferrier :

Emprunter la **D 117** à gauche jusqu'au premier embranchement ; aller à droite vers l'auberge des Sapins. Franchir un pont et emprunter la route montant à gauche. Passer au pied d'un pylône *(fin du goudron)*, contourner une maison par la gauche et descendre pour franchir un ruisseau. Remonter un raidillon sous les sapins et quitter ce large chemin pour suivre un sentier à gauche. Peu après, atteindre un chemin forestier.

10 Monter à droite, longer les ruines de Laujol et remonter le vallon. Franchir le torrent et poursuivre la montée ; deux lacets permettent de gagner de l'altitude.

Dans la galerie des personnages qui firent l'histoire du Comté de Foix au début du 14e siècle, Roger Bernard tient une place à part. Accédant au titre de comte de Foix en 1265, il ne céda la place à son fils Gaston qu'en 1302, marquant au cours de cette période l'histoire et la destinée de ce petit pays de montagnes.

Jaloux de l'indépendance de son comté, il n'hésita pas à prendre les armes contre les plus puissants seigneurs de son temps : le roi de France et celui d'Aragon ! Il le paya d'ailleurs assez cher en goûtant aux géôles des deux royaumes, mais sauvegarda toujours son comté, notamment grâce à l'alliance de sa famille avec celle des Moncade, les puissants seigneurs de Béarn...

N'hésitant pas à se faire obéir par la force, il était craint et respecté dans son comté mais c'est de Pamiers que vint la plus forte contestation de son autorité : un conflit sans fin le fit s'opposer à l'évêque Bernard Saisset, soutenu par le pape Boniface VIII et ennemi juré de Philippe le Bel. On vit alors Roger Bernard prendre sa place dans le grand conflit " européen " de l'époque et s'entourer d'hommes poursuivis par l'Inquisition pour hérésie ! Durant tout son passage à la tête du comté, Roger Bernard protégea en effet les nobles poursuivis par l'Eglise catholique... Etait-il lui même convaincu par les idées nouvelles ? Peut-être : une croyante cathare affirma en effet qu'il était mort à Tarascon après avoir reçu le " consolament " des mains d'un parfait . Mais si le mystère reste entier quant à ses propres convictions, on ne peut que constater que dès sa mort et l'arrivée au pouvoir de son fils Gaston, l'Eglise cathare s'effondra...

Foix

L'éperon de calcaire qu'a taillé la rivière de l'Arget fut probablement occupé bien avant l'arrivée des Romains dans la vallée, mais il fallut quand même attendre l'établissement de l'abbaye Saint-Volusien, à ses pieds, pour qu'une cité se mette à prendre de l'ampleur.

Le château ne possédait au Moyen-Age que deux tours carrées, la ronde n'ayant été édifiée qu'au 14e siècle, mais un " château-bas " s'étendait à l'emplacement de l'actuel palais de justice et servait probablement de résidence aux comtes. Au cours de la Croisade, les faubourgs de Foix furent incendiés par Simon de Montfort, mais le château resta intact. Il faut dire qu'à l'époque, il était réputé imprenable, un troubadour affirmant même " qu'il était si fort qu'il se défendait par lui-même " ! En effet, les comtes de Foix étaient de redoutables guerriers, redoutés fort loin de leur célèbre citadelle.

Le château-bas a disparu, mais celui du haut a survécu grâce à sa transformation en... prison, pendant plusieurs siècles ! Il abrite aujourd'hui le Musée de l'Ariège et mérite que l'on s'y arrête si l'on s'intéresse un tant soit peu à la période médiévale.

Foix.

Roquefixade

Au cours de la Croisade contre les Cathares, le château de Roquefixade était une possession du comte de Toulouse et les hasards de la guerre le laissèrent plus ou moins hors des combats, même si le bruit des armes ne fut jamais très loin...

Philippe le Hardi l'acheta aux seigneurs de Pailhes en 1270 pour consolider les " marches d'Espagne " et ordonna l'édification d'une bastide à laquelle il donna le nom de l'ancien chef croisé. Ainsi fut créée La Bastide de Montfort qui prit plus tard le nom du château, Roquefixade.

La citadelle possédait deux enceintes et un puissant donjon qui surplombait la falaise, à l'ouest. Elle fut hélas démantelée sur ordre de Richelieu en 1632 et il n'en reste aujourd'hui que de belles ruines.

Château de Roquefixade.

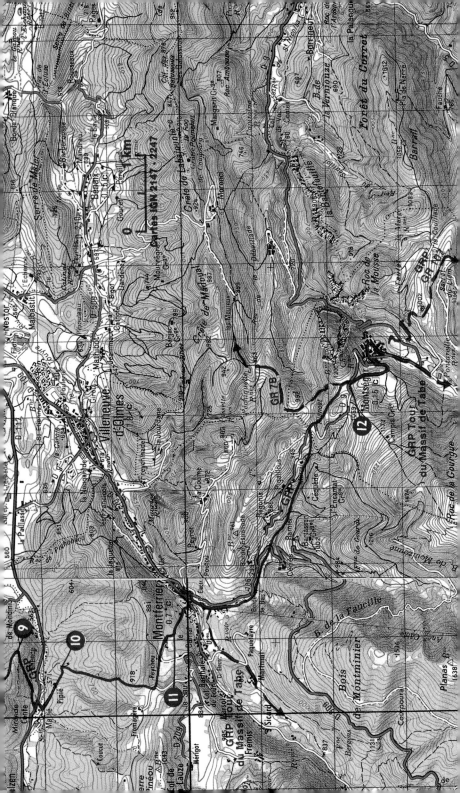

Arrivé au niveau de pâturages, franchir une clôture et remonter par un chemin creux sous les bâtisses de la Fromagère. Atteindre une route (870 m), la longer vers la gauche, et poursuivre en descente sans quitter le chemin. Franchir une clôture, passer sous des ruchers, puis entre les maisons de Peychou et atteindre par la route, à gauche, le hameau de Couche. Au bout de la route, emprunter le chemin empierré descendant sous les châtaigniers jusqu'à une croix (781 m).

① Descendre vers la gauche, passer près du centre de vacances de la Freychède et arriver à **Montferrier** (700 m).

De **Montferrier** au **col de Séguela**

▶ Jonction avec l'accès à Montségur depuis Tarascon-sur-Ariège, voir p. 43.

Descendre dans le village de **Montferrier** et franchir le pont sur le Touyre (690 m). Aller immédiatement à droite le long du camping, laisser la centrale électrique à droite et monter par le chemin goudronné. Remonter le ruisseau rive gauche, dépasser le pont et les terrains de tennis. Après les dernières maisons de Toupinat, le goudron cède la place à un large chemin herbeux qui franchit un ruisseau et atteint la route des Monts d'Olmes ; la traverser et monter par le fond du vallon, en franchissant le ruisseau à gué à maintes reprises. Poursuivre par une piste qui conduit à la route Montferrier - Montségur ; l'emprunter à droite sur environ 100 m pour ensuite prendre à gauche un sentier qui, au départ à travers bois, conduit au **col de Séguela** (**⑫**) (1 026 m), au pied du château de Montségur.

Montségur.

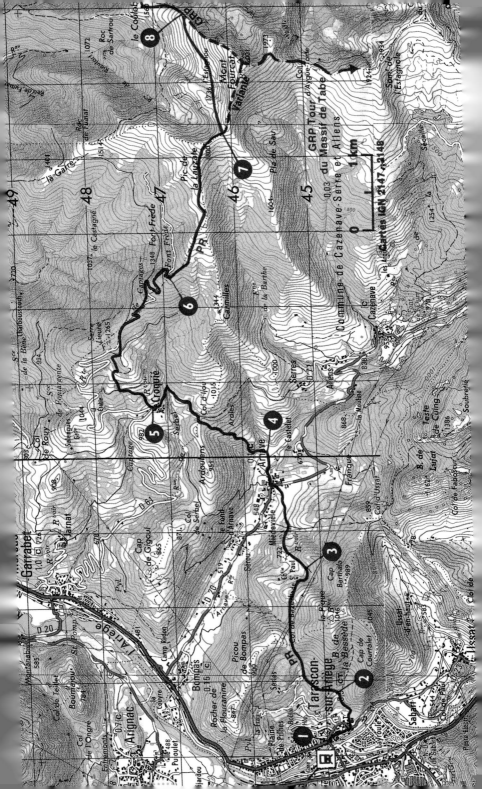

Accès à Montségur depuis Tarascon-sur-Ariège

De **Tarascon-sur-Ariège** au **col de Bazech** `50 mn` ▭

À Tarascon-sur-Ariège : 🏠 ⛺ ☕ 🛒 ✕ ℹ️ 🚌 🚉

① Depuis la route nationale près du pont sur l'Ariège, monter vers la vieille ville de **Tarascon-sur-Ariège** par la rue du Barri. Arriver sur une grande place et se diriger vers l'église, longer celle-ci par le Sud. Passer sous l'ancienne porte de la ville *(fontaine)* et parvenir dans la rue des remparts. Monter en face vers Arnave, entre des villas et près d'une tour, puis s'engager dans un chemin en terre entre deux murets. Passer au-dessus des derniers jardins de Tarascon, laisser un embranchement à gauche, et rester sur ce large chemin empierré qui bientôt se redresse. Traverser une clairière et rejoindre un chemin à niveau.

② Le suivre vers la gauche, puis le quitter à la première bifurcation, pour monter à droite par un chemin bien marqué. Après quelques lacets, suivre un chemin à gauche jusqu'au **col de Bazech** (800 m), en suivant une clôture.

Du **col de Bazech** à **Arnave** `55 mn` ▭

Franchir le **col de Bazech**, longer la clôture puis la franchir au niveau d'un grand pin. Passer sous la ligne HT et laisser un chemin descendant à gauche sous les pins. Surplomber une doline *(vue sur la chapelle St-Paul et Arnave)*, la pente s'accentue alors. Longer une grange ruinée et descendre par un chemin creux. Arriver au niveau des pâturages, longer la clôture sur quelques mètres.

③ Descendre à gauche par un sentier peu visible, longer le pré sous la haie de frênes pour arriver à la chapelle pré-romane St-Paul, située sur un collet (710 m) *(devant la chapelle, petite cabane renfermant une pierre "guérissant" de l'épilepsie)*. Descendre à gauche par un agréable chemin. Après quelques lacets, le chemin s'élargit, passe un carrefour, puis devant des maisons et atteint la route. Franchir le pont sur l'Arnave à gauche et aller à droite pour arriver sur la place de la mairie d'**Arnave** (576 m) *(fontaine)*.

D'**Arnave** à **Croquié** `1 h 05`

De la place de la mairie d'**Arnave**, remonter le cours d'eau rive droite, passer devant des villas et trois garages. A la bifurcation, aller à droite et longer le boulodrome, laisser un autre chemin à gauche et, avant un pont, quitter ce chemin pour monter à gauche vers le col d'Ijou par un chemin empierré.

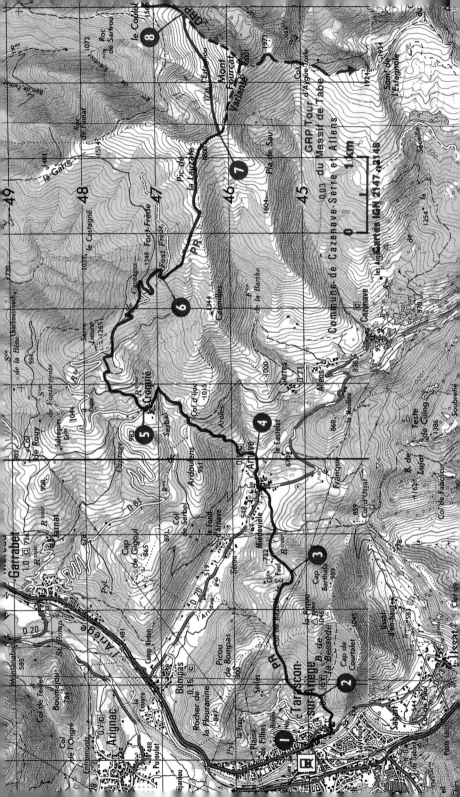

Longer un ruisseau rive droite, monter en lacets sous les robiniers, passer sous la ligne électrique et atteindre une bifurcation.

④ Aller à gauche, continuer à monter entre deux murets pour atteindre des prés de fauche et le col d'Ijou (900 m). Suivre à gauche un large chemin conduisant au village de **Croquié** (940 m).

De **Croquié** à un col (**⑦**) `2 h 40` ▭

Passer devant un abreuvoir et remonter la rue principale de **Croquié**. Après un nouvel abreuvoir, arriver sur une place, puis à l'embranchement de la route forestière de Fontfrède.

⑤ Monter à droite entre deux maisons, passer devant le lavoir et emprunter le chemin montant à gauche au réservoir d'eau. Bifurquer à gauche et arriver sur un large chemin herbeux. Monter à gauche jusqu'à une piste forestière ; la suivre à droite et la quitter rapidement pour emprunter une traverse sous les pins à gauche. Monter entre deux murets et arriver à nouveau sur une piste forestière, passer près d'un orry, puis laisser un chemin à gauche. Continuer à monter et arriver à nouveau sur une piste forestière ; aller à droite et emprunter encore une traverse montant à gauche pour atteindre la route forestière de Fontfrède ; la suivre à droite jusqu'à une aire de stationnement *(fin du goudron)*, col du Traucadou (1 253 m). Franchir une barrière et monter par la piste de droite. Après deux lacets *(vue sur le mont Fourcat)*, emprunter une traverse à gauche et rejoindre la piste au niveau d'un regard de captage maçonné. Continuer la montée sur la piste jusqu'à une aire de chargement.

⑥ Monter à droite par un large chemin, rejoindre la croupe du mont Fourcat et monter en forte pente dans les pâturages vers la crête. Passer sous le pic de la Lauzate (1 800 m) ; le chemin continue alors à niveau, atteint la crête et parvient à un **col** (1 800 m).

Variante balisée jaune, puis jaune-rouge : `45 mn`
Continuer à monter, passer aux cabanes aménagées du Fourcat et atteindre le sommet (2001 m ; vue sur les châteaux de Foix, Roquefixade et une partie de Montségur).
▶ Jonction avec le sentier GRP® Tour du Massif de Tabe.
Descendre à gauche par la crête jusqu'à trois grands cairns.

Du col à **trois grands cairns** (**⑧**) `35 mn` ▭

⑦ Du **col**, emprunter à gauche un sentier montant sur le versant Nord du mont Fourcat. Après un passage caillouteux, franchir un ressaut et commencer la descente sous la cabane du Fourcat située sur la crête.

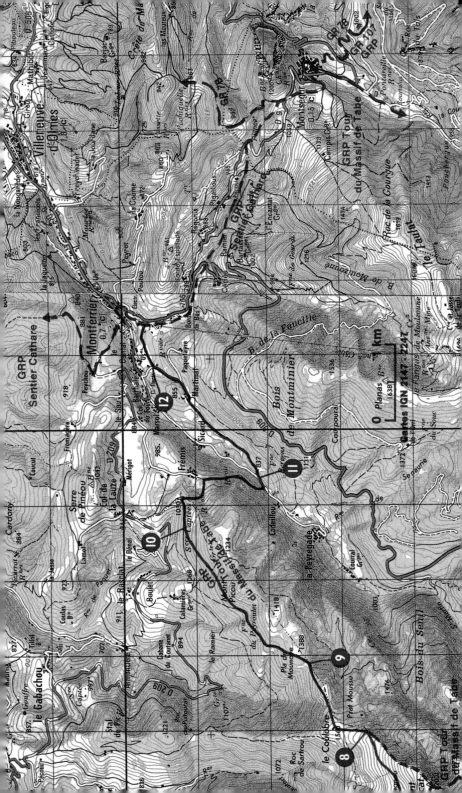

Passer sous le pic, traverser un ruisseau à gué et remonter pour rejoindre **trois grands cairns** (1 713 m).

Des trois grands cairns à la cabane du Coulobre ·10 mn·

À la cabane du Coulobre : ⌂

▶ Jonction avec le sentier GRP® Tour du Massif de Tabe et avec l'itinéraire du mont Fourcat.

8 Des **trois grands cairns**, descendre à gauche par la crête vers la **cabane du Coulobre** (1 560 m).

De la cabane du Coulobre à Montferrier ·2 h 35·

À Montferrier : 🏠 ⛺ ☕ 🛒 ✕ ℹ 🚌

De la **cabane du Coulobre**, se diriger (Nord-Est) vers des pâturages pour déboucher dans la forêt et arriver à une bifurcation.

9 Continuer jusqu'à une clairière avant le Pla de Mounoye (1 388 m). Le sentier s'enfonce dans les bois pour arriver à une piste ; l'emprunter sur environ 1 km.

10 Descendre à proximité du hameau de Fremis (975 m). Le sentier vire plein Sud vers la route de La Peyregade que l'on emprunte à gauche sur 300 m.

11 S'engager dans le chemin qui traverse une passerelle sur le ruisseau du Touyre pour arriver à Martinat. Suivre une route sur 750 m.

12 Emprunter à droite un chemin pour rejoindre **Montferrier** (690 m).

▶ Jonction avec le sentier GRP® Sentier Cathare qui mène à Montségur, voir page 37.

L'Inquisition était une police religieuse chargée d'éradiquer l'hérésie cathare de la société. Elle fut créée en 1233 à Toulouse, lorsque le comte Raimond ne put plus y faire obstacle. Pas une région, pas un village n'échappa à ses enquêtes. Agents et délateurs furent recrutés sous la menace ou la contrainte et il n'y eut plus un lieu où l'on pût réellement se croire en sécurité. Après la chute de Montségur, la situation devint dramatique et l'Eglise interdite vit le nombre de ses fidèles se réduire comme peau de chagrin...

Quiconque était soupçonné d'hérésie ou de connivence avec les Bonshommes pouvait être immédiatement arrêté, interrogé et maintenu plusieurs mois en détention. Enfin, si les inquisiteurs pouvaient déterminer la faute de l'inculpé, celui-ci pouvait être condamné, suivant l'importance de son " crime ", à quelques années de prison, la confiscation de ses biens ou le port du signe d'infamie : des croix de tissu jaune devaient être cousues en apparence sur les vêtements... Pour les " hérétiques parfaits ", la sanction était toujours la même : le bûcher. On en vint d'ailleurs à exhumer les malheureux morts dans la croyance des Bonshommes pour brûler leurs cadavres sur la place publique !

Dans ce contexte terrible, personne ne pouvait espérer relancer la religion dissidente. Pourtant un homme fut assez fou pour essayer de le faire, au début du 14e siècle. Il était notaire à Ax-les-Thermes et s'appelait Pierre Autier.

Notable connu et respecté, Pierre Autier quitta subitement sa confortable situation pour aller avec son frère Guillaume, se former à l'hérésie cathare dans des communautés lombardes. Il revint en Haute-Ariège dans le plus grand secret à la Carême 1300 et commença une vie d'errance et de prêche parmi les villages montagnards. Trouvant ici et là quelques maisons " amies " il s'y cachait le jour, ne se déplaçant que de nuit sur les chemins déserts... Regroupant autour de lui des petits groupes de fidèles, il prêchait dans les caves ou les greniers, à l'écart des villages la nuit tombée et parfois même à l'intérieur des villes, à quelques pas de ses ennemis...

Son charisme était tel et le souvenir des Bonshommes si vivace que beaucoup de montagnards l'accueillirent et l'écoutèrent avec passion. Comme eux, il crut peut-être parfois que son Eglise allait survivre à la persécution et qu'il allait pouvoir à nouveau divulguer sa vision du monde. Mais il vit son frère Guillaume, son fils Jacques et ses plus fidèles compagnons être arrêtés, puis brûlés; il vit son oeuvre s'effondrer sous les coups de buttoir de l'Inquisition, et enfin, livré par un délateur, il fut arrêté et brûlé à Toulouse en 1310. Mais croyant jusqu'au bout à la grandeur de son rêve, il s'écria au moment de mourir : *S'il m'était permis de parler et de prêcher à ce peuple, je le convertirais tout entier à ma foi !*

Montségur

En 1204, quelques Bonshommes vinrent trouver le seigneur du lieu, Raimond de Péreille, pour lui demander de remettre en état le château ruiné qui se trouvait au sommet de ce roc vertigineux. Raimond ayant une famille fortement engagée dans cette religion, accepta sans retard.

Ainsi vit le jour et s'organisa rapidement un petit village fortifié (un *castrum*) sur la crête de la colline, le *pog*. Les Cathares purent y trouver un refuge sûr quand la Croisade se déclencha et, en 1232 un rassemblement de Parfaits donna à Montségur une indiscutable prééminence dans l'Eglise cathare.

Le *castrum* échappa aux actions militaires et inquisitoriales jusqu'en 1242. Cette année-là, quelques hommes du château participèrent à une expédition sanglante contre l'Inquisition dans le village d'Avignonet. Le Pape

Montségur.

se saisit immédiatement du prétexte pour réclamer l'éradication de cet ultime nid d'hérétiques et au printemps 1243, le sénéchal de Carcassonne vint mettre le siège au pied du *castrum*. Malgré une évidente disproportion des forces, les sympathisants des Bonshommes réussirent à repousser les assauts pendant de longs mois. Il fallut attendre la Noël pour que l'armée royale atteigne enfin les premières fortifications, grâce à une attaque nocturne. Dès lors, et malgré d'héroïques combats dans le *castrum,* les assiégés durent envisager sérieusement la défaite. Ils espérèrent encore quelques temps l'intervention du comte de Toulouse, puis se résignèrent. La trésorerie de l'Eglise cathare fut discrètement évacuée du château, probablement pour être envoyée en Lombardie, puis la reddition du château fut proposée par

Raimond-Roger de Mirepoix, le commandant militaire de la place.

Les combattants ne furent condamnés qu'à de légères peines, mais le 16 mars 1244, plus de deux cents Parfaits et Parfaites furent jetés dans un gigantesque bûcher dressé sur place. Les bâtiments furent rasés et l'on bâtit un nouveau château au sommet du *pog*, symbole du triomphe de la Couronne et de la Papauté.

Aujourd'hui il ne reste plus autour de ce grand vaisseau de pierre, que les fondations des cabanes du *castrum* cathare, et encore la plupart sont recouvertes d'une épaisse végétation. Site qui marqua le début de la fin du catharisme, Montségur sera le départ du voyage.

Montségur.

Le sentier GR®107
Chemin des Bonshommes

Du col du Séguela à Montségur `15 mn`

À Montségur : 🏨 🏠 🛏 🏕 🍺 🛒 ✕ ⓘ

▶ Itinéraire commun avec le sentier GR® 7B, plusieurs sentiers GRP® et le Sentier Cathare.

❶ Du col de Séguela (1 026 m), descendre sur la route ; la traverser pour suivre le chemin goudronné en face et atteindre le village de **Montségur** (920 m).

De Montségur au col du Liam `50 mn`

Descendre à l'office de tourisme de **Montségur**. Se diriger vers le centre du village, aller derrière l'église et descendre à droite. Au bout, emprunter la rue principale vers la droite. Avant l'épicerie, descendre à gauche sous un porche. Le chemin passe entre deux haies puis longe des jardins pour atteindre le "Point Accueil Jeunes". Monter à droite vers l'aire de stationnement, aller à gauche pour emprunter un chemin descendant sous un prunier. Rejoindre la route et aller à gauche jusqu'à un embranchement. S'engager à droite dans un large chemin qui franchit le Lasset et contourne l'aire naturelle de camping par la gauche. Monter en sous-bois, puis suivre une route à gauche sur environ 100 m.

❷ S'engager dans le sentier montant à droite jusqu'au **col du Liam** (1 060 m) *(avant le col, point de vue sur le Pog de Montségur)*.

Du col du Liam à Pelail `1 h`

Du **col du Liam**, descendre légèrement, à droite, Sud-Ouest.

❸ Emprunter le premier embranchement à gauche et descendre dans la pente. Franchir un ruisseau, peu après, à un tournant à droite, quitter ce chemin et continuer tout droit dans l'axe de la pente. Atteindre le torrent de Rivels ; le franchir à gué et suivre un large chemin rive gauche. Passer sous les ruines de Rivels et atteindre une piste conduisant au hameau de **Pelail** (605 m) *(point d'eau)*.

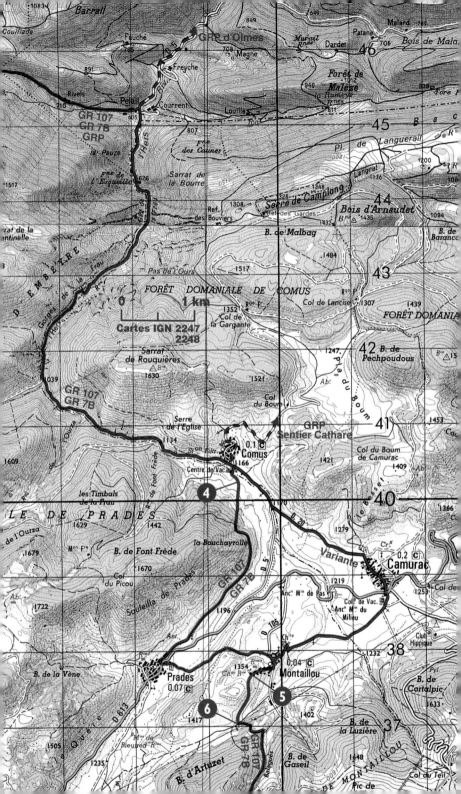

De Pelail à Comus

À Comus :

► Jonction avec le sentier GRP® Tour du Pays d'Olmes.

Prendre à droite la D 5, passer devant l'ancienne école. Longer l'Hers à la limite de l'Ariège et de l'Aude, passer au pied d'une petite cascade pour arriver dans le site classé des gorges de la Frau. Emprunter le chemin remontant les gorges qui franchit l'Hers à plusieurs reprises sur des ponts de pierre et rejoint la piste forestière du Basqui (1 039 m) ; l'emprunter à gauche.

Passer au pied d'un rocher surmonté d'une croix *(ancien point de frontière triple entre les diocèses de Pamiers, Alet et Narbonne. Tout près, une fleur de lys gravée dans la roche signale la limite de la forêt domaniale de Comus, ancienne forêt royale)*. Laisser à droite la piste forestière de l'Ourza, et atteindre le village audois de **Comus** (1 166 m).

> **Par une variante : Camurac :** 15 mn
>
> A Camurac :
>
> Continuer sur la D 20 jusqu'à Camurac. Possibilité de retrouver l'itinéraire à Montaillou (à 1 h 10). Pour cela, à Camurac, couper la D 613 et prendre un chemin Sud-Ouest par la colonie de vacances.

De Comus à Prades

À Prades :

► Jonction avec le sentier GRP® Sentier Cathare.

Au Sud de **Comus**, franchir l'Hers et entrer en Ariège. Le chemin passe devant deux maisons et monte à gauche *(vue sur Comus)*. Peu après, descendre vers l'Est, jusqu'à une doline *(vue sur l'église de Montaillou et les ruines du château)*.

④ Suivre à droite le chemin qui contourne plusieurs parcelles et monte à droite pour se rapprocher d'un bois de pins *(les premiers toits de Prades d'Aillou ou d'Alion sont alors en vue)*. Rejoindre un large chemin ; le suivre vers l'Ouest. Laisser un embranchement à gauche, passer au-dessus d'une croix en fer, et atteindre **Prades** (1 240 m).

De Prades à Montaillou

Quitter **Prades** par le chemin goudronné descendant vers le cimetière, passer au pied d'une grande croix en fer. Le chemin atteint le fond du vallon (1 210 m), remonte et franchit une clôture. Laisser un chemin à droite et poursuivre la montée *(vue sur Prades)*, puis descendre pour rejoindre une piste ; la suivre vers **Montaillou** (1 260 m).

Montaillou.

tembre 1308. Dès lors le village resta dans l'oeil du cyclone, et dix-sept ans plus tard, l'évêque Jacques Fournier poussait les malheureux Montaillonnais dans leurs derniers retranchements en traquant encore les vestiges de l'hérésie...

Paradoxe de l'histoire : ce ne sont pas des bruits de batailles, des clameurs de révoltes ou la lueur d'un bûcher qui ont rendu Montaillou célèbre, mais les dépositions accablées de quelques pauvres bougres emprisonnés... Car l'Inquisition était si procédurière que chaque interrogatoire fut consigné avec soin et que vingt-cinq d'entre eux nous sont parvenus. La lecture de ces parchemins jaunis s'avère passionnante : on y découvre la vie quotidienne de ces oubliés de l'histoire, les trajets du berger Pierre Mauri et de ses troupeaux, les conflits dans la famille Benet, les petits soucis quotidiens de Guillemette Argelliers et d'Alazaïs Rives ou les frasques amoureuses du curé Pierre Clergue...

Le pays de Sault apparaît toujours comme un désert pour le voyageur de passage. Un désert bordé de forêts et parsemé de rochers, auquel le gel et le vent ne laissent que peu de répit. Pourtant, au coeur de ce désert, quelques villages isolés colportent la vie depuis des siècles. Au temps des Bonshommes comme depuis toujours, ces villages étaient peuplés de paysans luttant avec cette terre ingrate et sur qui les tumultes du siècle n'avaient que peu de prise.

Leur opiniâtre et silencieuse résistance vint pourtant aux oreilles de l'Inquisiteur de Carcassonne, qui organisa une rafle pour arrêter toute la population de Montaillou, le 8 sep-

Trouvant là un peuple à son écoute, Pierre Autier venait y prêcher en cachette, parfaitement secondé par Prades Tarvenier, un autre Bonhomme originaire du village voisin dont il tirait son surnom. Ainsi, même les murmures interdits ont pu traverser les siècles et arriver à nos oreilles. L'historien Emmanuel Leroy Ladurie a tiré de ces dépositions un ouvrage, *Montaillou village occitan,* qui reste la référence dans le domaine du " catharisme au quotidien ".

Le faucon pèlerin

Le faucon pèlerin est un hôte discret des falaises de la Frau : il niche quelque part dans ces rochers et chasse dans les parages. Ce superbe rapace est un redoutable prédateur pour les autres oiseaux : quand il repère une proie, il fond en piqué sur elle, dépassant parfois les deux cents kilomètres à l'heure ! Il ne fait pas bon être grive, merle ou alouette dans les gorges ou aux alentours... bien qu'un pigeon suffise amplement au faucon pour... deux jours ! Avec un peu de chance vous le verrez peut-être effectuer une de ces splendides démonstrations de vol dont il a le secret, et à défaut, vous entendrez son cri strident ricocher de roche en roche.

Pour mieux le découvrir, rendez-vous à la volière «Les aigles du château de Lordat» au dessus de Luzenac.

Les gorges de la Frau

Elles tiennent leur nom des gorges de " l'effroi ". Pendant environ cinq kilomètres, un chemin caillouteux et tortueux semble se glisser dans les entrailles de la terre... Aux moments les plus spectaculaires, vous serez surplombés par plus de quatre cent mètres de rocs vertigineux. Ici et là, l'eau a creusé et poli la roche comme pour rappeler la puissance qu'elle eut pour faire une telle saignée dans la montagne ! Et ne croyez pas que cette époque soit totalement révolue : si le ruisseau disparaît souvent sous les cailloux et que l'endroit parait bien sec, un gros orage peut transformer ce désert en un terrible torrent ! Au début du siècle, on voulut d'ailleurs installer une route dans les gorges pour faciliter le travail des charbonniers qui descendaient le fruit de leur labeur à dos de mules par ce scabreux chemin. Mal en prit aux bâtisseurs : un violent orage vint en une seule nuit ravager le travail effectué, emportant les murettes et brisant les ponts... L'exemple fut suffisant et les travaux ne reprirent jamais. Depuis, on a choisi

Gorges de la Frau.

de laisser ce petit coin de paradis aux randonneurs et à quelques animaux sauvages.

51

e Montaillou au col de Balaguès 1 h 30

Monter vers l'église de **Montaillou** *(produits fermiers, fromage, point d'eau)*, puis vers le château.

5 Dans un tournant, s'engager à gauche dans un large chemin passant près d'une source et atteindre une croix, sous le col du Pichaca (1 319 m).

6 Aller à gauche et tout de suite monter vers l'Est, passer sous une ligne HT, descendre vers un large chemin ; le suivre en montée vers le Sud *(vue sur Montaillou)*. Passer près d'un captage, puis sous une cabane. Traverser une piste au niveau de la jasse de Balaguès, et continuer la montée. Rejoindre un chemin, aller à droite puis à gauche jusqu'au **col de Balaguès** (1 669 m) *(petite construction ; vue sur les Pyrénées, Camurac et le Moulin du milieu)*.

u col de Balaguès au col de Pierre Blanche 55 mn

▶ Un peu plus loin, on laisse à gauche le sentier GR® 7B.

Du **col de Balaguès**, descendre au Sud, puis obliquer à droite vers le col des Canons (1 617 m) *(vue sur la Dent d'Orlu)*. Continuer plein Sud sur la crête, puis descendre au fond d'un vallon vers un abreuvoir (font Gourgoulude).

7 Emprunter le chemin se dirigeant à gauche vers l'important enclos de l'Apailladou ; le longer pour arriver sur une piste, passer devant une cabane de berger et continuer jusqu'au col de **Pierre Blanche** (1 551 m).

> ### Hors GR du refuge du Drazet (domaine du Chioula) : 5 mn
>
>
>
> Le refuge est visible à l'Ouest, au sommet d'une butte.

u col de Pierre Blanche à Sorgeat 1 h 25

À Sorgeat : 🏕 🛒

Du **col de Pierre Blanche**, suivre la piste montant à gauche sous le Roc de l'Orry d'Ignaux, jusqu'à une aire de chargement.

8 Au début du replat quitter la piste et descendre à gauche par un bon chemin. Traverser une clairière aux bouleaux clairsemés *(vue sur la vallée de l'Ariège)* et, après quelques lacets, arriver sur une route ; la suivre à droite jusqu'à une ligne électrique.

9 Descendre à gauche, rejoindre une piste que l'on suit à droite pour arriver à **Sorgeat** (1 064 m).

e Sorgeat à Ascou 15 mn

Aux premières maisons de **Sorgeat**, emprunter la rue à gauche, puis descendre à droite vers l'épicerie. Sur la place, emprunter une route à gauche puis suivre un large chemin dans l'axe. Traverser un ruisseau, puis en légère montée, rejoindre une petite route au niveau d'une croix. L'emprunter à droite pour arriver au village d'**Ascou** que l'on domine.

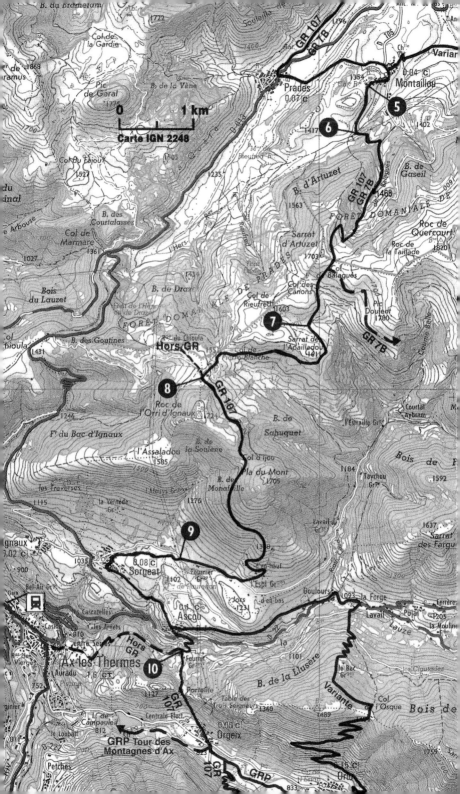

Variante de la Forge

D'Ascou au hameau de la Forge `1 h`

À *La Forge* : 🏠

Dans le haut du villa ge d'**Ascou**, prendre à gauche au niveau d'un bassin. Quitter le village en montant à flanc le versant orienté plein Sud. Arriver à une route ; la descendre jusqu'à Goulours. Prendre la D 22 à gauche et contourner le lac jusqu'au **hameau de la Forge**.

De la Forge à Orlu `3 h`

À *Orlu* : 🏠 🏕 🛒

Quitter **La Forge** par l'Est puis bifurquer tout de suite plein Sud, passer le pont et suivre la route qui s'élève le long du lac de Goulours. Emprunter à gauche un sentier qui monte rapidement et rejoint la route laissée plus bas ; la suivre à gauche. Prendre la piste qui part à droite en direction du col de l'Osque, d'abord par des lacets relativement courts dans la pente puis vers le Sud-Est à flanc de versant. Rejoindre le col de l'Osque (1 404 m). Redescendre dans la vallée de l'Oriège par un sentier au milieu des conifères jusqu'à une citerne verte. Le sentier laisse place à une large piste. A un carrefour, prendre à gauche la piste qui continue sa longue descente au milieu d'anciens terrains cultivés jusqu'à retrouver une route (D 22). La suivre à droite pour entrer dans le village d'**Orlu**.

D'Orlu à Orgeix `30 mn`

Traverser le pont après le relais montagnard et suivre à droite un chemin qui passe d'abord dans le camping d'Orlu, puis longe un lotissement de chalets. On rejoint peu après le sentier GR® 107 venant d'Orgeix.

D'Ascou à Orgeix `45 mn`

A **Ascou**, continuer sur la route (miel), descendre pour passer sous l'église. Au bas du village (983 m) traverser la route et aller en face par un chemin goudronné. Franchir le pont sur la Lauze et monter en passant près d'un moulin à un croisement de chemins, à côté d'un abreuvoir.

Hors GR pour Ax-les-Thermes : `30 mn`

À *Ax-Les-Thermes* : 🏨 🛏 🏕 🍴 🛒 ✕ ℹ️ 🚌 🚆
Un chemin à droite descend à Ax-les-Thermes.

🔟 Se diriger plein Sud vers la Porteille d'Orgeix. Le large chemin passe entre les granges de Fournit et arrive à la Porteille d'Orgeix (990 m) *(vue sur la vallée et Orgeix)*. A la descente, le chemin empierré est plus étroit, gagne en quelques lacets le village d'**Orgeix** (823 m), après avoir franchi une passe-relle sur une conduite forcée.

D'Orgeix à une intersection `15 mn`

Traverser le village d'**Orgeix** vers le Sud-est pour atteindre la route. Franchir le pont sur l'Oriège.

▶ Un chemin en rive gauche de l'Oriège permet de rejoindre Ax-les-Thermes.

Quand le 14e siècle s'annonce, Ax est une petite ville thermale d'un peu plus de mille habitants où les eaux sulfureuses soignent avec le même bonheur la lèpre, la gale et une foule de petits maux. Idéalement située sur la route de Toulouse à Barcelone, bien fortifiée et placée sous la protection du comte de Foix, dotée de nombreuses libertés et avantages fiscaux et administrée par des consuls, elle est aussi la cité commerciale par excellence.

Globalement, les malades de l'hôpital (dont la tradition attribue la fondation à Saint-Louis), les indigents et les prostituées se partagent le quartier du bassin des Ladres alors qu'artisans et commerçants occupent le nord de la ville. Tanneurs, tisserands, sabotiers s'activent ainsi autour des moulins qui utilisent l'eau de l'Ariège et de la Lauze.

Chaque jour de foire, les paysans des villages alentours viennent vendre leurs produits et acheter du sel et des outils, mais aussi faire moudre leur grain. On vient ainsi régulièrement d'Ascou, Sorgeat, Perles, mais aussi Mérens, Prades ou Montaillou.

Ax-les-Thermes,
bassin des Ladres.

Les loups sont entrés dans Orlu...

Depuis le printemps 1997, d'inquiétantes silhouettes ont recommencé à se glisser entre les arbres de la forêt de Naguille : celles de superbes loups gris... Autrefois nombreuses dans nos forêts, ces bêtes disparurent des Pyrénées ariégeoises au 19e siècle, victimes d'une image désastreuse qui entraîna leur destruction totale.

Mal connu, accusé à tort de toutes les horreurs de la terre, le pauvre loup a quand même trouvé quelques défenseurs acharnés. Ainsi à Orlu, Bernard Lassablière a offert à une quinzaine de loups d'Europe un superbe espace de semi-liberté pour permettre au grand public de découvrir cet animal méconnu... Retrouvant leurs instincts naturels, ces loups se sont organisés en meute et offrent aux passionnés de nature un spectacle extraordinaire. La nuit venue, leurs longs et troublants hurlements viendront sûrement vous rappeler encore aujourd'hui que les loups sont de retour...

Une croyante acharnée : Sibille Bayle

Sibille Bayle, d'Ax-les-Thermes, est l'un des meilleurs exemples du dévouement qui a pu animer les croyants cathares autour de Pierre Autier et de ses compagnons.

Sibille était mariée à un notaire, Arnaud Sicre, dont elle avait eu deux fils. Mais Arnaud marquant trop d'attachement au catholicisme, le couple se sépara : Sibille était fidèle à " l'Eglise des Apôtres " et entendait le rester. Le fils aîné (Arnaud) suivit son père à Tarascon alors que le cadet (Pons) resta avec sa mère à Ax, prenant son nom de Bayle !

Cette femme de caractère ouvrit alors sa porte à Pierre Autier et aux autres Bonshommes en fuite, les cachant dans un cellier ou dans une petite chambre à l'écart de la rue. Passionnée et convaincue, elle chercha en permanence à recruter de nouveaux adeptes pour la Religion interdite parmi ses relations à Ax. Elle paya cher son engagement sans failles : elle fut arrêtée et brûlée à Carcassonne.

La destinée de ses deux fils fut encore plus dramatique : Pons suivit les idées de sa mère en devenant Parfait et en finissant lui aussi sur le bûcher, alors qu'Arnaud resta fidèle au catholicisme et devint même agent de l'Inquisition. C'est lui qui par traîtrise fit arrêter Guillaume Bélibaste, le dernier Bonhomme connu...

Au paradis des isards : la Réserve Nationale d'Orlu

Sur les crêtes environnantes, vous aurez peut-être la chance d'observer l'un des symboles de la montagne pyrénéenne : l'isard. Il est indiscutablement le plus agile des habitants de la montagne : bondissant de rocher en rocher sans aucune difficulté apparente. Si au printemps et en été il trouve facilement sa nourriture dans les vastes prairies de montagne, il n'en va pas de même en hiver où il doit souvent se contenter de bourgeons de hêtre, de tiges de myrtilles et de lichens. Dans la Réserve Nationale de Chasse, toute proche, les techniciens de l'ONC observent avec attention le comportement de cet animal. Plus de mille cinq cents de ces animaux ont ainsi été comptabilisés et pour éviter un surpeuplement et ses graves conséquences (notamment une redoutable maladie, la kérato-conjonctivite, qui rend l'isard aveugle), des bêtes sont capturées pour être relâchées dans d'autres vallées pyrénéennes. Vous êtes donc aux portes du plus grand laboratoire de recherche consacré au *Rupicapra Rupicapra*...

Suivre immédiatement à gauche le sentier qui suit la rive gauche de la rivière. Après avoir laissé à gauche un pont, parvenir à une **intersection**.

▶ Jonction avec la variante de La Forge, Orlu à 30 mn.

De l'intersection au col de Joux
`2 h 45`

Au col de Joux : ⌂

De **l'intersection**, suivre à droite la piste forestière qui remonte le versant et rejoint une petite route venant d'Orgeix. La suivre. Après la colonie du Roc de la Pera, passer en contrebas d'un orri bien conservé, pour arriver à la cabane du Resse de Bas (1 300 m) ; la dépasser.

⑪ S'engager dans un large chemin montant à droite ; il monte en lacets en ignorant les différents embranchements. Sous la ligne de crête, le chemin continue à niveau *(vue sur la vallée de l'Oriège)* et atteint le **col de Joux** (1 702 m) *(vue sur Luzenac et Bonascre)*.

Du col de Joux à Mérens-du-Haut
`1 h 35`

À Mérens-du-Haut : ⌂

Du **col de Joux**, monter à gauche vers le Sud, pour arriver sur la crête ; la suivre vers le Sud-Est. Passer au cap du Camp, descendre sous les sapins, et contourner par la droite le cap de Carbonne par un large chemin en sous-bois. Descendre vers une piste forestière, et l'emprunter tout droit en descente en laissant un embranchement à droite *(vue sur Mérens)*. Après un tournant, arriver à un petit replat.

⑫ Descendre à gauche par le chemin d'accès aux Bordes de Coual *(confitures, fromage de chèvre, œufs)*. Peu avant les bordes, quitter le chemin et descendre à droite par un sentier passant sous la ferme. Dépasser les ruines de St-Touret (1 476 m) et, à un embranchement, descendre à gauche vers le torrent de St-Touret ; le longer pour arriver à **Mérens-du-Haut** (1 183 m).

De Mérens-du-Haut à Mérens-du-Bas
`10 mn`

À Mérens-du-Bas : 🛒 ✕ 🚌 🚉

▶ Départ de la variante du sentier GR® 107 qui emprunte les sentiers GR® 10 et GR® 7 et rejoint Porté-Puymorens en deux jours, voir pages 107.
▶ Jonction avec le sentier GR® 10 décrit dans le topo-guide "Pyrénées Orientales", réf. 1092.

Descendre en face pour atteindre les ruines de l'église romane de **Mérens-du-Haut**. Sous l'église, emprunter la traverse qui aboutit à une route ; la traverser, puis emprunter le large chemin sur la digue le long du Nabre. Descendre vers la N 20, passer sous la voie ferrée, puis franchir le pont sur l'Ariège. Suivre la route vers la gauche pour quitter **Mérens-du-Bas** (1 060 m).

Scène de ménage à Ascou en 1300

Vers 1300, à Ascou comme dans la plupart des petits villages des vallées d'Ax, quelques personnes écoutent les Cathares et soutiennent leurs idées. C'est le cas de Rixende Peyre et de son amie Rixende d'Ascou. Les deux commères échangent volontiers quelques informations sur les " parfaits ". Mais Guillaume, le mari de Rixende d'Ascou, a peur que tout ça n'amène l'Inquisition à s'intéresser à sa maison et un jour, il perd son sang-froid et hurle :

Mauvaise truie ! je connais bien vos manigances, vos airs entendus et les signes d'intelligence que vous avez avec Rixende, la femme d'Ascou Peyre-Amiel, cette lépreuse, cette hérétique qui aurait dû être brûlée ! Vous serez brûlées elle et toi. Tu lui as donné ce soir de l'huile et toute la soirée tu as comploté cette affaire et lui as fait des signes. Il n'y a pas de vieille truie dont j'ai arraché les tripes, les boyaux et le foie qui ait comploté de telles affaires !

Rixende connaît son homme et le laisse crier. Elle sait que c'est la peur qui le fait hurler et que c'est la peur qui le fera taire. Le pauvre Guillaume se gardera bien d'aller dénoncer la " mauvaise truie " : il sait que c'est la famille entière qui serait alors touchée, et lui avec ! Alors, il espère que les cris suffiront...

Le petit cheval noir...

S'il est un symbole de l'Ariège qui soit à présent connu dans le monde entier, il s'agit bien du cheval de Mérens. Petit et rustique, résistant aux pires conditions climatiques, il fut le compagnon

Chevaux de Mérens.

idéal des montagnards ariégeois, qu'ils soient paysans, colporteurs ou... contrebandiers ! Vous le reconnaîtrez aisément à sa robe entièrement noire et sa petite " barbiche ".
Pourtant, cet animal fut sur le point de disparaître il y a une trentaine d'années. Mais quelques passionnés décidèrent de sauver la race et mirent en avant les qualités légendaires du petit cheval noir : doux et attentif, il est un compagnon idéal pour les débutants en équitation, et pour les cavaliers avertis, son extraordinaire résistance et l'absence de vertige en font un partenaire irremplaçable pour les raids en montagne.

Depuis quelques années, un Centre National du Cheval de Mérens a ouvert ses portes à La Bastide de Sérou, mais si vous n'avez pas le temps de vous y rendre, vous aurez souvent l'occasion de croiser des petits chevaux noirs sur les estives, au cœur de leurs montagnes d'origine...

L'église romane de Mérens

Nichée en haut du village de Mérens, l'église romane attire les regards grâce à son haut clocher de style andorran. Hélas, le reste de l'édifice fut ruiné dans un incendie perpétré par des soldats espagnols en 1811. L'amateur de vieilles pierres y distinguera pourtant un choeur au plan trèflé, voûté en cul-de-four. Le rustique appareil témoigne ici de l'ancienneté du lieu : l'église fut en effet bâtie à la fin du 10e siècle, probablement par les moines de Lagrasse.

C'est autour de ce bâtiment qu'était bâti le village médiéval, la partie basse ne datant que du 19e siècle. A l'abri des caprices du ruisseau, doté de plusieurs sources, dont deux thermales, le village était idéalement placé et était un passage obligé sur la route de la Catalogne. Nous en tiendrons pour preuve la présence d'un péage apparemment prospère en ce lieu, par où transitaient toutes les marchandises allant de Toulouse à Barcelone.

Au début du 14e siècle, Mérens devait donc être une bourgade assez importante de près de quatre cents habitants. Ultime étape avant Ax pour les uns, avant le difficile passage des montagnes pour les autres, on peut supposer que le village était connu des voyageurs. Mais Pierre Autier et ses compagnons " Bonshommes " n'y trouvèrent que peu de soutien : seules six personnes furent accusées de leur avoir apporté de l'aide. La plupart d'entre elles ne firent d'ailleurs qu'assister à des prêches chez les fidèles d'Ax-les-Thermes, à quelques kilomètres de là.

Ruines de l'église
de Mérens.

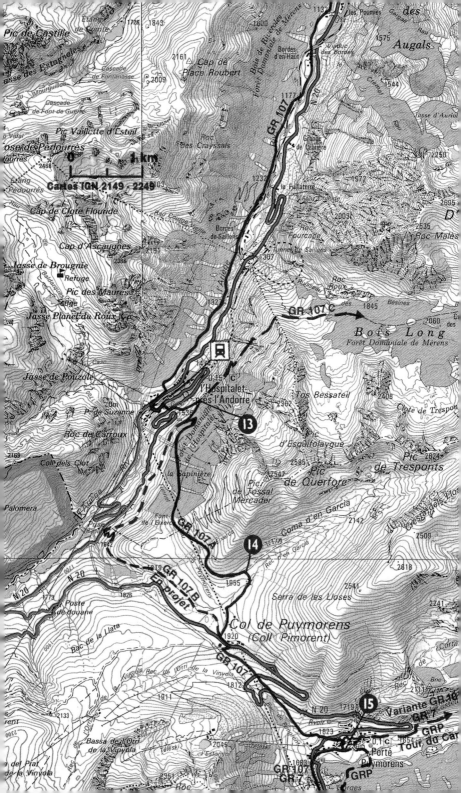

De Mérens-du-Bas à L'Hospitalet-près-l'Andorre   `2 h 40`

À L'Hospitalet-près-l'Andorre : 🏠 🏨 ⛏ 🍺 🍴 ✕ 🚌 🚆

▶ Jonction avec le sentier GR® 10 décrit dans le topo-guide "Pyrénées Ariègeoises", réf. 1090.

Passer devant le camping de **Mérens-du-Bas** (épicerie l'été), quitter le goudron pour aller en face par le chemin longeant les aménagements liés à la centrale électrique. Franchir une passerelle sur une conduite d'eau. Laisser un pont sur la gauche et continuer sur le chemin vers la droite en légère montée. Longer une grange, laisser un embranchement sur la droite et longer l'Ariège. Passer sous le viaduc SNCF des Bordes, puis près d'un pont en longeant Les Bordes-d'en-Haut. Le chemin continue alors entre deux murets, passe sous la voie ferrée puis la longe. Plus loin, monter par un petit sentier, franchir un ruisseau sous la ligne électrique, et descendre pour suivre à nouveau la voie ferrée.

Arriver sur une piste, passer à gauche sous la voie ferrée, puis tourner immédiatement à droite sur un large chemin. Longer une maison, puis près d'une importante grange, passer sous la voie à droite. Le chemin plus raide, monte entre deux murets. Le quitter bientôt et aller vers la gauche, par d'anciennes terrasses. Un autre petit raidillon aboutit au-dessus de la ligne HT. Le large chemin se dirige alors vers un captage. Gagner un peu d'altitude grâce à quelques lacets, L'Hospitalet est alors en vue. Longer l'Ariège, puis un terrain de sports, pour franchir un pont. Aller à droite le long de bâtiments, puis à gauche et monter vers la N 20. Entrer à droite dans **L'Hospitalet-près-l'Andorre** (1 400 m).

De L'Hospitalet-près-l'Andorre au col de Puymorens   `1 h 35`

Au col de Puymorens : 🏨 ✕

▶ Dans la montée au col de Puymorens, jonction avec le sentier GR® 107C, voir page 111.

Au centre du village de **L'Hospitalet-près-l'Andorre**, au niveau de la placette avec une fontaine, aller à gauche et monter quelques marches près de l'ancienne gendarmerie. L'étroit chemin s'élève rapidement au-dessus de L'Hospitalet. Au niveau du captage, franchir un ruisseau, puis arriver sur la N 20 ; la traverser et monter en face. Laisser un embranchement à droite, continuer en longeant des paravalanches et atteindre un embranchement (jonction avec le sentier GR® 107C).

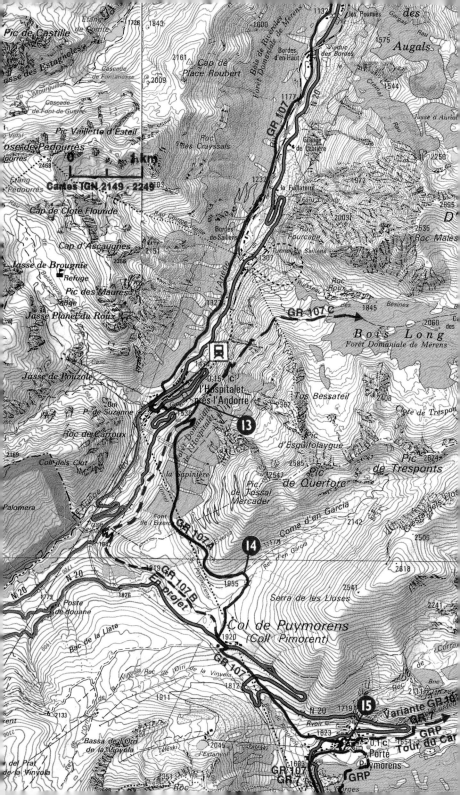

13 Aller à droite, longer d'autres paravalanches puis des ouvrages régulateurs du cours d'eau. Le chemin monte en pente douce parmi les grands épicéas de la forêt domaniale de L'Hospitalet.

Tourner à gauche au niveau de la double conduite d'eau et monter vers une cabane fermée (abri possible). Rejoindre un large chemin, le suivre en montée à gauche, Nord-Est, pour bientôt passer sous les conduites d'eau et les câbles du télécabine. Au lieu dit Roque-Rouge, continuer la montée *(vue sur les crêtes frontière d'Andorre)*. Laisser un embranchement à gauche, la pente s'adoucit alors. Franchir une barrière à la limite de l'Ariége et des Pyrénées Orientales *(vue sur le col du Puymorens et l'ancien chemin Impérial)*. Arriver sur une piste et la descendre vers le Sud.

14 Continuer en descente par la piste de la Coma d'en Garcia. Franchir un pont sur le Rec d'en Garcia (1 955 m). La piste passe sous une cabane de berger, franchit une barrière au-dessus d'un petit téléski et parvient au **col de Puymorens** (1 920 m).

Du col du Puymorens au **Porté-Puymorens**   30 mn

À Porté-Puymorens : 🏠 🏨 ⛺ 🛒 ✕ 🚌

Au **col du Puymorens**, se diriger vers l'angle du parking et descendre à gauche sous la glissière de sécurité. Suivre l'ancienne route impériale et traverser la N 320. Passer devant la cabane Franque, traverser à nouveau la N 320, et suivre le chemin jusqu'au village de **Porte-Puymorens**. Entrer dans le village pour rejoindre le sentier GR® 7 par la première rue descendant à droite.

Le col du Puymorens

Carol.

La rudesse et l'austérité du col du Puymorens ne lui enlèvent pas la gloire de son passé, car il fut en effet un lieu de passage de la plus haute importance. Il nous est connu comme " voie marchande " dès 1052, mais la présence antérieure de plusieurs péages sur les deux versants (Mérens, Porta, Carol...), prouve que la liaison entre le bassin toulousain et la Catalogne passait bien par là.

Tant les convois de mules venant du nord chargés de draps, de fer et de bois que ceux venant du sud et chargés de vin, d'épices, de sel, de blé et de cuir utilisaient jadis ce passage. Les muletiers de Berga n'étaient-ils pas réputés au moyen âge comme étant les plus sûrs et les plus rapides ?

Mais si le ciel se fait chagrin, oubliez vite ces belles images et courez vous mettre à l'abri : au cours des Guerres de Religions, au 16e siècle, le sire de Cazaux n'y prit pas garde et perdit la moitié de sa troupe dans la tempête...

La montagne Refuge

Les derniers " Bonshommes ", fuyant les persécutions, trouvèrent dans la montagne un refuge sûr. Ainsi, au fil des pages des registres inquisitoriaux, nous voyons les frères Donati, en Lauragais, qui cachent des Bonshommes dans la forêt. C'est aussi dans la forêt que Guillaume Autier trouve une cabane de branchages qui lui sert d'asile pour la nuit. On cache le Bonhomme Guillaume Sabatier dans la grotte de Bédeillac. C'est aussi dans les *spoulgas* (grottes fortifiées) du Sabarthès que sont vus de nombreux hérétiques en fuite, quand on ne les

voit pas passer des cols ou monter " de fortes pentes ". Si l'on ajoute (et les registres en parlent) les gouffres, les rochers et les villages isolés, on dispose de tous les attributs descriptifs de la montagne qui apparaît alors comme l'ultime refuge de ces femmes et de ces hommes traqués.

Puis un jour, sous les coups de butoirs de l'Inquisition, même cette montagne devint dangereuse. Il ne resta alors plus qu'une seule solution aux Bonshommes : l'exil...

L'actuel petit village était autrefois regroupé autour d'un " hospitalet " destiné aux pèlerins et aux voyageurs égarés dans les redoutables tempêtes du Puymorens. Cet ancêtre de nos actuels refuges de montagne datait probablement de la fin du premier millénaire, dans la mesure où le col était déjà connu comme " voie marchande " à cette époque. Mais seule une étrange légende subsiste quant à sa création...

secours. Reconnaissant de cette survie miraculeuse, et pour éviter à quiconque de revivre une aussi cruelle expérience, il légua sa fortune pour faire bâtir un " hospitalet " sur le lieu où il faillit périr. Il ne reste rien aujourd'hui de cet antique refuge, mais les anciens racontent que les nuits où la tempête fait rage, on entend parfois ses cloches qui guident les voyageurs en détresse et le hennissement désespéré d'un cheval...

En des temps forts anciens, un pèlerin s'en allait de Puigcerda à Ax. Mais il fut pris dans une effroyable tempête de neige en descendant le col du Puymorens. Se voyant perdu, il éventra son cheval, lui arracha viscères et boyaux et se glissa dans le ventre encore chaud de l'animal ! C'est grâce à cet abri de fortune qu'il survécut jusqu'à l'arrivée des

Vallée de l'Hospitalet.

À Porta : 🏠 🚉

⓯ A **Porté-Puymorens**, continuer à droite, vers Porta jusqu'à un embranchement de pistes.

⓰ Aller à gauche vers le Carol que l'on franchit sur un pont (1 539 m), suivre l'ancienne nationale à droite le long de la voie ferrée et atteindre un passage sous la voie au niveau d'une aire de pique-nique, à l'entrée Ouest de **Porta** (1 511 m).

De Porta à la **Portella Blanca** (**⓱**) `2 h 45`

▶ Attention ! La prochaine ville, Bellver de Cerdanya, se situe à plus de 10 h de marche.

De l'aire de pique-nique, à l'entrée Ouest de **Porta**, continuer tout droit entre le Carol et la voie ferrée. Franchir la rivière sur un pont et aller à gauche. Après un petit parking monter par un chemin goudronné vers un relais. Passer près d'un abri, puis d'un pylône ; continuer alors sur un large chemin empierré. Franchir un ruisseau, puis deux barrières, passer près du captage d'eau (1 747 m) ; la pente s'adoucit et le chemin se rapproche du ruisseau. Atteindre la cabane de Campcardos *(occupée par le berger pendant l'été).*

Continuer la montée et franchir encore un ruisseau au niveau de pins et bouleaux transportés par une avalanche. Le chemin devient étroit et pentu, la Portella Blanca est en vue. Franchir le déversoir de l'Estany Petit et continuer à monter en dominant l'Estany Gros sur la droite. Peu après, traverser une mouillère et atteindre un petit cirque. Traverser à gué la Ribera de Campcardos. Monter rive gauche, la pente s'accentue alors, pour arriver sur la Pleta de la Barrera (2 339 m). Franchir le ruisseau *(à droite, vue sur le coll dels Isards et le chemin vers les étangs des Passaderes).*

Au pied de la Portella, la pente se redresse. Avant un replat, obliquer à gauche, Sud-Ouest, vers un chemin bien marqué qui monte à droite vers la **Portella Blanca** (2 517 m) *(point de frontière triple : France-Espagne-Andorre. Vue sur les estanys d'Engaït, et la Portella de Joan Antoni).*

Hors GR non balisé : Pas de la Casa : `2 h`

Au Pas de la Casa : 🏨 🛏 🛒 🍴 ℹ️ 🚌
Prendre à droite, en direction du Nord, pour atteindre l'étang des Passaderes. Continuer toujours plein Nord pour passer le coll des Isards (2 654 m), puis un deuxième col au Sud-Ouest du pic de Font Nègre. Se diriger vers la gare d'arrivée du télésiège. Laisser l'étang de Font Nègre à droite et longer le télésiège pour arriver au parking de ce dernier, au Pas de la Casa.

Lies et passeries

D'un côté ou de l'autre de la frontière, les montagnards ont toujours gagné leur vie grâce à l'élevage des vaches et des moutons. Dès la plus haute antiquité les hautes terres furent utilisées comme pâturage d'été et au moyen âge, il n'étaient pas rare de voir des troupeaux de plusieurs centaines de têtes monter à plus de deux mille mètres d'altitude. Cette transhumance n'allait pas sans problème dans un milieu hostile où les ours et les loups étaient nombreux, mais c'est bien les conflits entre les hommes qui faisaient le plus de dégâts ! En effet, ces "terres libres" des montagnes étaient revendiquées par les des bergers des deux versants, et les affrontements furent parfois violents sur les crêtes frontières et même de village à village... Pour éviter que les choses ne dégénèrent trop, on prit alors l'habitude de négocier équitablement l'occupation de ces espaces pour que chacun soit satisfait. Ces négociations engageant deux communautés, elles étaient formalisées par un serment solennel prononcé par les représentants des vallées (les consuls) au cours d'une cérémonie sur les cols séparant les vallées. Ce furent les lies et passeries qui lièrent les paysans des deux versants de la chaîne dans une paix sagement négociée.

Ces cérémonies ont aujourd'hui disparu, mais les communes frontalières et les rassemblements d'éleveurs continuent à passer de tels accords pour leurs troupeaux...

En altitude !

Contrebandiers et passeurs

L'histoire étant ce qu'elle est, la crête frontière ne fut pas toujours aisée à traverser. Les vallées de l'Ariège et du Segre eurent droit très tôt à leurs postes de péage, et le petit commerce des colporteurs fut durement touché. Pour contourner le problème, de nombreux pyrénéens se lancèrent dans la contrebande. Si certaines bandes, composées de bandits nombreux, armés et organisés, se livrèrent parfois à de véritables batailles contre les douaniers et les gendarmes, ces derniers ne purent pas grand chose contre la petite contrebande, celle que l'on pourrait qualifier " d'artisanale ". Des paysans des hautes vallées partaient quelquefois en cachette pour l'Espagne, portant de lourds ballots sur le dos... Ils allaient par les plus mauvais chemins, par les cols les plus escarpés et les plus sauvages, de nuit ou sous la pluie pour éviter les rondes des douaniers ! Mais l'effort était tel pour si peu de rentabilité que même les plus habiles d'entre eux ne firent jamais fortune.

Au cours de la deuxième guerre mondiale, ils eurent pourtant à faire traverser la frontière à des "marchandises" bien plus précieuses : juifs pourchassés, jeunes fuyant le STO et résistants voulant gagner Londres cherchaient à quitter le pays en passant par les Pyrénées et l'Espagne. Et nos contrebandiers devinrent "passeurs ", prenant des risques énormes qu'ils payèrent parfois de leur vie...

Une vie de berger dans la vallée de Campcardos en 1320

Etre berger dans la vallée de Campcardos ou les estives environnantes, n'a jamais été de tout repos ; au 14e siècle pas plus qu'aujourd'hui... La lecture de l'interrogatoire de Guillaume Baille, de Montaillou, nous en donne la preuve. Il fallait défendre les troupeaux des ours et des loups, mais aussi parfois faire face à d'autres types d'agressions, comme en cette nuit de 1320 où des Andorrans armés vinrent attaquer Guillaume et ses compagnons sur l'estive, blessant l'un des bergers. Guillaume courut alors jusqu'au village pour chercher de l'aide tandis qu'un de ses camarades faisait de même à... Puigcerda !

Au milieu de l'été de l'année suivante, un berger ne revint pas d'un court séjour à Ax. Ses camarades apprirent qu'il avait été arrêté par l'évêque Jacques Fournier qui supposait (à juste raison d'ailleurs) que l'hérésie cathare se répandait grâce aux transhumances parties de la Haute-Ariège. Tout l'été, la rumeur circula dans les montagnes que l'on voulait arrêter tous les bergers du comté de Foix ayant séjourné en Catalogne. Ces rumeurs terribles étaient hélas fondées : le 21 septembre 1321, une rafle était organisée à Puigcerda, au Port de Guils et dans la vallée du Campcardos. Interrogé comme les autres par l'Inquisition, Guillaume raconta cet épisode, mais en bon berger ne s'inquiéta guère de son sort mais de celui... de ses brebis que les hommes du roi avaient saisies !

Vallée de Campcardos.

De la **Portella Blanca** à la **cabana dels Esparvers** `1 h 05`

A la cabana dels Esparvers : ⌂

17 Descendre dans l'axe de la **Portella Blanca**, par un chemin en lacets, peu marqué dans la pente herbeuse. Au fond du vallon, aller vers le Sud et franchir le riu d'Engaït ; le longer rive droite. Atteindre un petit replat, franchir un petit ressaut et arriver à la **cabana dels Esparvers** (2 060 m) *(abri possible)*, près de la confluence du riu d'Engaït et du riu de Vall Civera.

De la **cabana dels Esparvers** à une **bifurcation** (**19**) `1 h 15`

▶ Jonction avec les sentiers GR® 10 et 11 espagnols.
De la **cabana dels Esparvers**, traverser le ruisseau sur une passerelle et arriver sur un chemin bien marqué. Descendre en rive droite du riu de la LLosa dans la pinède. Arriver à une jasse, passer à côté d'un poste frontière ruiné, et de l'oratoire Nostra Dona dels Angels (table de pique-nique).
18 Franchir le riu de la Llosa sur une passerelle (2 000 m) pour éviter les couloirs d'avalanche menaçant la rive droite. Franchir une barrière et, après deux passages bétonnés, passer un pont sur le riu de Calm Colomer (1 860 m). Le chemin descend en lacets vers une jasse, des murets délimitent alors parcelles et enclos pastoraux. Passer près de la barraca de la Farga, à la voute effondrée. Après une barrière, petite remontée par un passage entre dalles et blocs de granit *(vue sur le Cadi et le château de la Llosa. A droite, un sentier franchit le torrent et se dirige vers le château)*. Par un passage bétonné conduisant à une barrière, atteindre une **bifurcation** (1 640 m).

De la **bifurcation** à **Coborriu de la Llosa** `1 h 10`

À Cal Jan de la Llosa : ⌂ ⛺

▶ Jonction avec les sentiers GR® 10 et 11 espagnols.
19 A la **bifurcation**, aller tout droit (Sud). Peu après, au niveau du panneau, laisser un nouveau chemin vers Cal Jan de la Llosa *(abri et aire de camping)*.

▶ Une variante passe par les villages d'Ardovol et Prullans et rejoint le GR à Bellver de Cerdanya.

Suivre le large chemin vers le Sud en laissant à droite deux embranchements, et passer au-dessus d'un important éboulis dominant la grange del Gasconet. Le chemin, en corniche, remonte un peu. Laisser un embranchement à gauche, passer près de l'oratoire St-Antoni, puis atteindre une piste ; la suivre sur la gauche. Après un tournant, passer près d'une ruine et arriver à **Coborriu de la Llosa** (1 540 m).

De **Coborriu de la Llosa** à **Talltendre** `2 h 10`

Passer sous l'église de **Coborriu de la Llosa** et monter par le chemin empierré entre les maisons ; laisser à gauche le centre du hameau.

L'allure des fermes de montagne juchées sur le versant nord de la chaîne n'a guère changé depuis quelques siècles.
Elles sont la plupart du temps composées d'un vaste bâtiment à un étage, dont un tiers est consacré à l'habitation et les deux autres à l'étable.

S'appuyant sur de rudes pentes, bâties avec de grosses pierres brutes, elles présentent souvent une façade haute et ouverte au soleil, alors que le grenier à foin est accessible de plein pied à l'arrière du bâtiment.

Une cour pavée complète ce tableau, et il n'est pas rare d'y voir une fontaine, un abreuvoir et un petit jardin potager (*la horte*).

Pour répondre aux besoins en main d'oeuvre de l'agriculture de montagne, jusqu'au début de ce siècle y vivaient des familles fort nombreuses, agrandies encore par la présence de nombreux domestiques et travailleurs saisonniers aux époques de moissons.

L'élevage étant la première ressource de ces montagnards les mêmes familles possédaient généralement quelques granges (*les bordes*) à proximité où les bêtes pouvaient passer une partie de l'hiver et une ou plusieurs cabanes en montagne (*les orrys*) pour les surveiller en été dans les pâturages d'altitude (*les estives*).

Orry, à la Soucarrane.

Saint Ermengol et saint Ott

Ermengol fut évêque d'Urgell au début du IIe siècle. Soucieux de l'ouverture de sa vallée au monde, il fut un grand bâtisseur de routes et de ponts. C'est en dirigeant les travaux d'un pont sur le Segre qu'il fut emporté par les eaux et se noya... Mais au cœur des veillées catalanes, on chuchote que son corps fut miraculeusement épargné par le tumulte des eaux et que la rivière le déposa devant sa bonne ville de la Seu d'Urgell. D'ailleurs, à peine avait-il été emporté par les flots que les cloches de la cathédrale s'étaient mises à sonner sans que quiconque y touche... Très populaire dans cette région, saint Ermengol devint ainsi l'un des saints les plus invoqués, notamment pour apporter la pluie quand la sécheresse gagne. Et quand les suppliques sont trop efficaces et que la pluie n'en finit pas, c'est son successeur à l'évêché d'Urgell, saint Ott, qu'il faut invoquer pour que revienne le beau temps...

Seu d'Urgell.

Une bien curieuse ligne ferroviaire

Construite au début du siècle, la ligne de chemin de fer qui relie Ax à Latour de Carol est une des plus pittoresques de France. Tout d'abord, c'est une suite de viaducs et de tunnels qui permettent à ce long serpent d'acier de se glisser jusqu'au fond de la vallée de l'Ariège. Mais aux abords de L'Hospitalet, il fallut gagner beaucoup de dénivelé en peu d'espace, et les ingénieurs se résolurent à construire un tunnel... hélicoïdal qui permet aux trains de gagner cent mètres d'altitude d'un seul coup ! Mieux encore, ils firent poser des portes coulissantes au tunnel de Puymorens pour que les courants d'air glacé ne viennent pas transformer les infiltrations d'eau en stalactites de glace et gêner la circulation des trains...

Franchir une clôture puis un ruisseau, passer près d'une fontaine et monter par un large chemin sablonneux ; franchir encore une clôture et un ruisseau. Après quelques lacets, le chemin se poursuit en montée, franchit une clôture et atteint la crête.

20 Descendre en laissant à gauche l'accès à la chapelle Sta-Anna. Continuer tout droit à travers une zone de cultures et pâturages, vers les maisons de La Bastida, sur le promontoire rocheux. Franchir deux nouvelles clôtures.

21 Laisser la piste privée descendant à droite, et continuer à gauche vers un large collet. Descendre pour aller franchir le torrent de la Borda et une clôture. Remonter alors pour continuer en balcon à la limite d'une réserve de chasse. Franchir une clôture et parvenir sur le causse du Serrat de Sobiro *(vue sur Bellver)*. Atteindre un col (1 660 m), près d'une croix.

22 Changer de versant et descendre à gauche vers Talltendre. Laisser un embranchement à gauche puis un à droite, passer le ravin du Clot de Mata Moros et atteindre un petit oratoire, à l'entrée de **Talltendre** (1 575 m) *(belles maisons en pierre et chapelle romane)*.

De Talltendre à Bellver de Cerdanya   `1 h 50`
À Bellver de Cerdanya : 🏠 🏨 🛏 ⛺ 🍷 🛒 🍴 ℹ️ 🚌

Descendre à droite par la rue principale de **Talltendre** et passer devant un portail en marbre.

23 Emprunter la piste se dirigeant vers le village d'Ordèn, situé sur un col entre le Tossal Ras et la Corona. Traverser le pont sur le torrent de Prat de Codines, et monter vers Ordèn. Longer la chapelle romane Sta-Maria et suivre à droite, en légère montée, la piste d'accès au village. Franchir la croupe du Tossal Ras et descendre vers Bellver, par la piste. Passer au-dessus de la Roca Punxent et descendre vers Cal Codolet. Franchir ce collet et arriver au-dessus des jardins de **Bellver de Cerdanya** (1 032 m).

Hors GR non balisé : Prullans : `50 mn`
À Prullans : 🏠 🏨 ⛺ 🛒 🍴

Quitter le sentier GR® à la sortie de Bellver de Cerdanya, en prenant un chemin de terre sur la droite.

Le Parc Naturel de Cadí -Moixeró

A cheval sur le relief tourmenté de la Sierra de Cadí, le Parc apparaît au nord comme une muraille Infranchissable et au sud comme un océan de forêts d'où surgissent ici et là des vagues de calcaire... Etendu sur 41.342 hectares, entre 900 et 2648 mètres d'altitude, il a permis à de nombreuses espèces végétales et animales de retrouver leur place dans le paysage. Les pins et les chênes, parfaitement adaptés au sol calcaire et au soleil prospèrent particulièrement, mais les contrastes climatiques sont tels entres les différents sites, que l'on peut trouver aussi des hêtraies splendides ! Cette cohabitation entre deux types de couverture forestière s'accompagne bien sûr d'une grande variété de plantes et de fleurs. On y trouvera presque toutes les variétés de montagne, de la gentiane au rhododendron, en passant par le raisin d'ours et même des fleurs endémiques très rares comme la ramondia ou la xatartia.

La faune sauvage n'est pas en reste, et si les hautes terres, arides et désertes ne voient guère passer que l'isard, l'aigle royal, le vautour fauve et le gypaète barbu, les forêts cachent le cerf, la martre, le chat sauvage, le renard et le coq de bruyère. Et bien sûr le pic noir, symbole du Parc !

De plus, chapelles romanes, ermitages, moulins, hameaux et chemins pavés témoignent de la vie passée sur cette terre catalane.

Sierra de
Cadí -Moixeró

Bellver de Cerdagne

Bellver petit village de 1500 habitants a gardé un bel aspect médiéval. Construit sur une éminence rocheuse autrefois coiffée d'un château féodal, il a conservé son église gothique dédiée à la Vierge, quelques vestiges de murailles et l'ancienne tour-prison ! De la place à arcades d'où partent d'étroites ruelles. l'architecture traditionnelle a été préservée.

Si la chance vous sourit, vous serez à Bellver le jour du marché annuel des fleurs et épices ! Alors, enivrés par les odeurs et les couleurs, vous n'aurez plus qu'à imaginer que vous êtes en plein coeur du moyen âge... D'ici là, vous pourrez toujours vous rendre à la " Maison du Parc Naturel de Cadí-Moixeró " pour préparer la suite de votre périple.

Le pic noir, symbole du Parc

Dès votre entrée dans le Parc de Cadí -Moixeró, vous remarquerez la silhouette d'un oiseau qui orne la plupart des panneaux indicateurs sur le terrain. Il s'agit de celle du pic noir, fierté et symbole du Parc Naturel.

Ce pic est le plus grand d'Europe, pouvant atteindre la taille d'une corneille ! Il montre une nette préférence pour les forêts de pins dans lesquels il creuse de vastes cavités ovales pour nicher et ce redoutable insectivore affirme un goût prononcé pour les fourmis et leurs larves... Vous pourrez peut-être le repérer grâce à son tambourinage intense et sonore, mais bref, et le reconnaîtrez à son plumage entièrement noir à l'exception (pour le mâle) d'une superbe crête rouge. Mais s'il vous gratifie d'un superbe et sonore " klieu-euh ", n'insistez pas : il s'agit de son cri d'alarme...

Bagà

Cette petite ville fut fondée en 1234 par les barons de Pinos soucieux d'occuper cet avant-poste au pied de la Serra de Cadí. Bagà prospéra vite et se dota dès le 14e siècle d'une importante église au style massif et austère, à mi-chemin entre roman et gothique. Il reste aussi de l'époque médiévale quelques lambeaux de remparts et un ancien portail de même que le beau pont " de la vila ", au bord du Bastareny.

Bagà était un point de passage obligé pour les Bonshommes en fuite. Voyageant souvent avec les bergers, ils passaient comme eux dans cette bourgade avant que les troupeaux en transhumance ne gagnent les estives de la Serra. Pierre Mauri, Guillaume Baille et Guillaume Maurs, tous trois bergers à Montaillou et compromis par le soutien qu'ils apportaient aux Cathares, passaient régulièrement ici, après être passés par Ax, Mérens et la vallée de Campcardos. Tout comme vous...

Enfin, et ce n'est pas la moindre de ses qualités, Bagà est l'une des portes du Parc Naturel de Cadí-Moixeró. Une " Maison du Parc Naturel " y est ouverte au public.

Bagà.

De Bellver de Cerdanya au refuge dels Cortals   `2 h 50`   ▭

Au refuge dels Cortals : 🏠

▶ Une variante passe par Santa Maria de Tallo, les villages de Beders et Pedra, puis retrouve le sentier GR au refuge dels Cortals.

Suivre la route N-260 vers la droite jusqu'à un carrefour.

24 Tourner à gauche, franchir le Segre sur un pont et arriver sur la place St-Roc à Bellver de Cerdanya. Passer devant l'office du tourisme et emprunter la rue au-dessus : cami de Talló. Atteindre un carrefour près d'une croix en fer. Continuer vers le Sud, en direction de Talló, passer à côté de l'église romane Sta-Maria *(12e siècle)*, puis devant l'hôtel del Rei pour se diriger tout droit par le chemin goudronné de l'Ingla. Laisser un embranchement à droite et, juste après, parvenir à une intersection.

25 Emprunter un large chemin de terre à gauche vers Coborriu. Longer les maisons de Coborriu, pour se diriger vers Mas Ponç, ferme imposante. Aller tout droit et arriver à la chapelle romane de st Serni (1 090 m). Partir vers le Sud, passer devant une ferme *(oeufs, légumes)*, font de Misser Pi, en contrebas. Le chemin suit une rangée de peupliers, en fond de vallée. Passer au-dessus d'un captage pour entrer dans la forêt de Vila i Bailia et le Parc naturel de Cadí. La vallée se resserre, le chemin longe alors les gorges du riu de l'Ingla et passe près d'une source. Traverser deux ponts rapprochés, puis franchir une barrière, continuer à monter rive gauche. Atteindre la font de l'Ingla *(tables)* sous l'Ingla de Baix. Passer devant une ruine, puis peu après traverser un autre pont (1 300 m). La pente s'accentue alors pour arriver au niveau d'un virage.

26 Rester sur ce chemin et monter à gauche vers le refuge dels Cortals, en laissant à droite un chemin coupé par une barrière. Arriver à un collet au-dessus d'un promontoire, ruines et vestiges de terrasses de culture. Plus loin, franchir une barrière, la vallée se resserre alors au niveau de grands pins. Franchir le torrent et arriver au **refuge dels Cortals** (1 510 m) *(grand refuge avec cheminée, mais sans aucun mobilier. A l'extérieur tables de pique-nique).*

Du refuge dels Cortals au coll de Pendís   `45 mn`   ▭

Au delà du **refuge dels Cortals**, se trouve la Font dels Cortals (1 600 m) ; passer sous la réserve d'eau.

27 Suivre un large chemin partant à niveau sur la droite près d'un abreuvoir. Avant d'arriver à un torrent, quitter ce chemin pour monter à gauche par un petit sentier en sous-bois peu marqué. Franchir bientôt le torrent et monter dans la pinède. Peu à peu la pente s'adoucit, et le chemin arrive sur une piste au **coll de Pendís** (1 800 m).

Picasso à Gósol

Au cours de l'été 1906, en mauvaise santé, bousculé qu'il était par sa gloire naissante, Pablo Picasso était à la recherche d'une retraite pour retrouver l'essence de son art. Grâce à un ami catalan et médecin, son choix se porta sur Gósol où l'aveuglante lumière du soleil de midi savait contraster à merveille avec les éclairages sanguins des couchers de soleil sur la Pedraforca. Observateur de la vie quotidienne et des personnages du village, il y peint notamment le portrait du *Grand-père de la Fonda Tampanada* et y fit des projets d'oeuvres et de nombreuses esquisses pour des oeuvres appelées à devenir célèbres, comme *La toilette* ou *Le harem*. Ce séjour à Gósol marque dans son art la fin de sa "période rose" et le début de son travail de recherche sur la structure même de l'image.

La Porteuse de Pain de Gósol.

Sur la place centrale, une sculpture représente *La porteuse de pain* qu'il rendit célèbre, et un petit musée expose des reproductions de ses oeuvres. Une autre partie de cette exposition est consacrée à l'ethnographie locale à travers la découverte d'objets de la vie quotidienne traditionnelle.

Gósol et Josa

Si l'on accepte de faire un détour de quelques heures, on peut découvrir Josa et Gósol.

Au cœur de sa vallée, blottie au pied d'immenses falaises, Josa cette ancienne possession des barons de Bagà n'a guère changé depuis le 13e siècle : les quelques maisons qui la composent sont toujours accrochées aux fortes pentes qui montent à l'ancien château aujourd'hui transformé en église. Quelques restes du village médiéval y sont encore bien visibles, sur d'aériennes terrasses et sous une arche naturelle dans laquelle on distingue d'ailleurs quelques enchâssements de poutres.

Sur ces terrasses abandonnées ou dans les étroites ruelles du village, on pourrait presque croiser les fantômes des derniers Bonshommes en quête d'un dernier asile de paix : en 1232, bien avant la chute de Montségur, les seigneurs de Josa hébergeaient déjà des Parfaits. Presque cent ans plus tard, les derniers Cathares en exil pouvaient encore y trouver un refuge sûr...

A Gósol, le village est moins aérien, moins escarpé, écrasé qu'il est par la Pedraforca et les ruines de son antique château. De ce dernier, il ne reste plus que le donjon et les lambeaux de ses différentes enceintes : les jeux d'ombre et le soleil donnent quant aux ruelles l'apparence d'un lieu hors du temps.

Enfin, avant de quitter ces vallées, ayez une petite pensée pour Guillaume Maurs : il était berger à Montaillou et venait ici faire paître des moutons durant l'été, il y a près de sept siècles ! Il comparut devant Jacques Fournier, évêque de Pamiers, en octobre 1321, pour répondre du crime d'hérésie. N'ayant point été convaincu de ce crime, il fut finalement condamné au pilori pour... faux témoignage !

La Pedraforca (2 497m)

La Pedraforca, " pierre fourchue ", accroche aussi bien le ciel que les regards : ce monolithe est formé de deux pics acérés qui se font face depuis la nuit des temps, tous deux soutenus par des à-pics rocheux de plus de huit cent mètres de dénivelé...

Entre les dômes qui dominent la vallée de Gresolet et le coll del Collell, bien après Gosol, l'itinéraire contourne avec respect la Pedraforca, restant à une prudente distance de ce formidable caprice de la nature...

Cet immense rideau de pierre procure à la vallée de Gresolet une ombre bienfaisante, accentuée encore par un réseau hydrographique important. Ce vallon est ainsi le plus humide et le plus frais de la Sierra de Cadi et l'on y trouve des sapins et des hêtres tout comme si nous étions au nord de la chaîne pyrénéenne.

La Pedraforca.

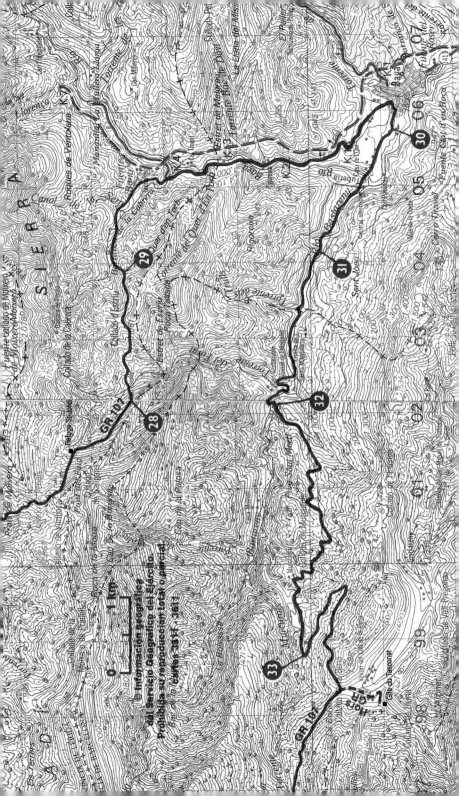

Du coll de Pendís au refuge St-Jordi 15 mn

Au refuge St-Jordi : ⬚

Franchir le **coll de Pendís**, laisser un chemin partant à flanc sur la gauche, pour descendre dans le vallon par un sentier caillouteux et atteindre le **refuge St-Jordi** (1 560 m).

Du refuge St-Jordi au col de l'Escriu 1 h 05

Du **refuge St-Jordi**, descendre vers un grand peuplier au carrefour de plusieurs itinéraires. Continuer la descente dans le vallon rive droite par un chemin encore caillouteux. La casa del Escriu est bientôt en vue, dans le vallon à gauche. Au niveau d'un petit replat, franchir le torrent de la Font del Faig à gué et descendre rive gauche par un large chemin jusqu'à une bifurcation.

28 Emprunter le chemin montant légèrement vers la gauche. Peu après, franchir un ruisseau, passer au-dessus des ruines d'Escriu (1 300 m). Un peu plus haut, sur la droite du chemin, on peut voir un hêtre enroulé autour d'un chêne. Atteindre le **col de l'Escriu** (1 500 m) *(à gauche, vue sur les penyes altes de Moixeró)*.

Du col de l'Escriu à Bagà 1 h 55

À Baga : 🏠 🏨 🛏 🏕 🍺 🛒 🍴 ℹ️ 🚌

Du **col de l'Escriu**, descendre sous les hêtres par ce même large chemin jusqu'à une bifurcation, sous un énorme rocher.

29 Continuer à gauche et atteindre le niveau de la pinède, puis dépasser un embranchement à gauche. Passer sous une retenue d'eau et son déversoir en cascade. Plus loin, traverser le ruisseau de Font Bona sur une petite passerelle, pour arriver en vue du hameau de Gréixer (1 100m). Franchir une clôture, au niveau d'un panneau, puis emprunter l'ancien chemin d'accès à Gréixer vers la droite en descente, sous les maisons et l'ermitage St-Andreu. Franchir une clôture puis une chaine. Plus loin, rejoindre la route du Coll del Pal ; la suivre en descente jusqu'à un stop. Tourner à droite et entrer dans **Bagà** (786 m).

Bagà.

85

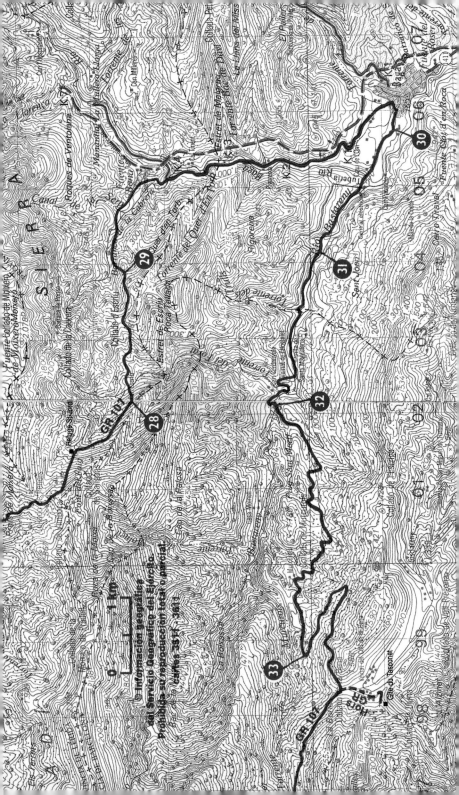

Bagà : maison du Parc naturel de Cadí-Moixeró (accueil).

30 Aller vers l'Ouest par la petite route, lieu de promenade préféré des habitants de **Bagà**. Passer un pont sur le Bastareny, sous le camping, et atteindre une bifurcation juste avant un pont.

31 Suivre un large chemin montant à droite. Passer au-dessus du pont roman de Petola *(sur l'autre rive, on aperçoit la chapelle Santa-Magdalena et une bâtisse fortifiée)*. Laisser à gauche une variante pour le village de Gisclareny, et continuer sur ce large chemin *(belles cascades en contrebas)*. Dépasser le captage de la centrale de Bagà, au niveau de la Cerdanyola. Près de nouvelles cascades, et de la Font Nostra, franchir le pont et laisser successivement deux chemins à droite. Franchir un nouveau pont sur le Bastareny (910 m), passer devant un ancien moulin et atteindre un virage.

32 Emprunter à gauche un sentier franchissant un ruisseau et montant à droite. Arriver sur le chemin d'accès à St-Martí del Puig, l'ermitage se trouve sur la gauche. Descendre à droite en passant devant une ferme. Au niveau d'un col, rejoindre une piste ; la suivre en montée, puis franchir le pont sur le torrent del Puig (1 000 m). Laisser un embranchement descendant à droite et continuer à monter. Franchir une clôture au niveau d'un replat. La piste continue à niveau et franchit plusieurs petits ruisseaux *(vue sur les ruines de Murcurols)*. Continuer sur la piste et laisser deux embranchements à droite dans un virage.

33 Après un passage en balcon, franchir une clôture et arriver au **coll de la Bena** (1 460 m).

> ### Hors GR non balisé : gîte du Tasconet : `50 mn`
>
> 🏠 ✕
> Suivre la piste descendant à gauche. A la première bifurcation, aller à droite jusqu'au gîte du Tasconet.

Du coll de la Bena au coll de la Balma   `40 mn`

Du **coll de la Bena**, partir à droite en montée par la piste forestière de baga Boltrera, en laissant un chemin descendant. A une bifurcation, aller à gauche, passer au-dessus d'une réserve d'eau et d'une aire de pique-nique, puis atteindre le **coll de la Balma** (1 580 m).

> ### Hors GR non balisé : Gresolet : `25 mn`
> *À Gresolet :* 🏠
> Suivre la piste descendant à gauche, au pied de la stèle, pour atteindre, après plusieurs lacets, Le Gresolet.

Les mouflons de Font-Vives

En faisant un détour par la vallée de Font-Vives. vous y croiserez peut-être des mouflons, qui sont fort nombreux sur le massif du Carlit jusqu'à 2 500 mètres d'altitude.

S'il est de la même famille que le mouton domestique, le mouflon est nettement plus agile que son cousin ! Il vit en groupe dans les zones d'éboulis et, en hiver, descend parfois jusqu'aux abords du village de Porte-Puymorens pour trouver de quoi se nourrir. Les approcher sera cependant difficile car ils restent farouches, mais on peut distinguer facilement les mâles des femelles grâce à leurs grandes cornes arrondies.

La marmotte

Ce rongeur montagnard occupe les prairies jonchées d'éboulis durant tout l'été, mastiquant avec application herbes et racines.

Menacées par des prédateurs comme l'aigle ou le renard, les marmottes ont compris l'intérêt de la vie collective : ainsi, pendant qu'une partie de la colonie passe à table, quelques unes surveillent les alentours. Au moindre danger, elles poussent un cri strident pour le signaler aux autres, et chacune de plonger dans un terrier ou sous un rocher pour éviter les mauvaises rencontres ! Hélas, l'homme est clairement assimilé à un prédateur, et l'observation de ces rondouillards habitants de la montagne demande un peu de patience...

L'hiver venant, la marmotte considère qu'il est temps de se reposer un peu : elle s'enferme alors en famille dans son terrier et entre en hibernation.

Son sommeil est si profond et la nature si bien faite, que le rythme cardiaque de cette bête passe de 100 pulsations à la minute à moins de 10, son rythme respiratoire de 16 mouvements à 2 et sa température de 37° à 10° !

Il faut alors attendre les premiers beaux jours pour la voir réapparaître sur ses postes d'observation, avec une allure un peu particulière : la graisse ayant fondu durant l'hiver, la peau de la marmotte est alors comme un costume bien trop grand pour elle !

Jeune marmotte.

Le gypaète barbu

L'un des plus grands oiseaux d'Europe niche à quelques pas d'ici, peut-être même est-il en train de vous survoler... Si vous voyez la silhouette noire d'un rapace, vous le reconnaîtrez aisément, à son envergure, bien sûr (presque trois mètres !), mais aussi à sa queue assez longue et pointue, et à la petite barbiche qu'il porte sous le bec. Profitez alors bien de ce spectacle aérien : l'animal est fort rare et l'observer n'est pas courant. On n'en dénombre qu'une dizaine de couples dans les Pyrénées.

Silencieux et discret, menant une vie de couple rangée, le gypaète se nourrit essentiellement d'animaux morts et, quand les vivres manquent, des os qu'ont bien voulu lui laisser les prédateurs et autres charognards. Il est alors capable de digérer ces ossements sans trop de difficultés grâce à ses sucs digestifs remarquablement efficaces. Mais quand l'os est vraiment trop gros, il s'envole avec lui et le laisse chuter de 50 à 80 mètres sur un rocher pour le briser ! Voilà pourquoi il est bon de toujours vérifier qu'il n'est pas en train de vous survoler...

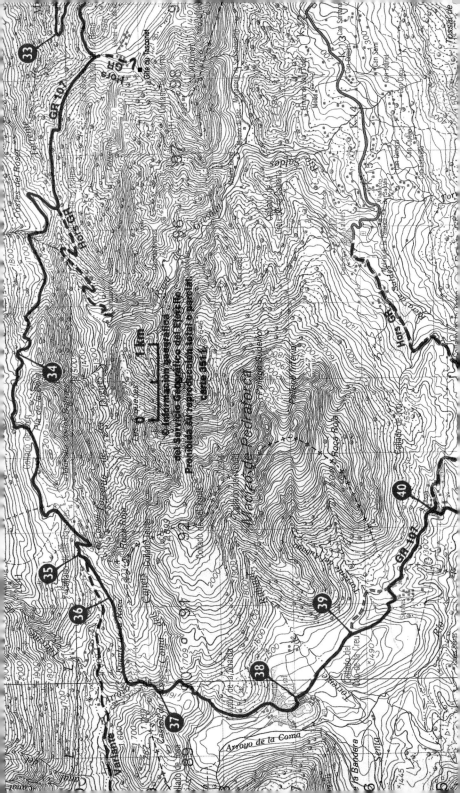

Du coll de la Balma au coll de Torn

Du **coll de la Balma**, poursuivre en montée sur la piste qui fait deux lacets, passe au Clot de Comabona, puis continue en balcon *(vue sur la face Nord du Pedraforca)*. Après une barrière, la piste domine le vallon qui remonte vers un col, au pied du Comabona. Passer près d'un abreuvoir *(font Cerdana)*, et monter jusqu'à un petit col *(cabane de berger)*.

34 La piste continue par un vallon suspendu vers le **coll de Torn** (1 920 m), sous la serra Pedregosa, en franchissant le ravin de Paller.

Du coll de Torn à Gósol

À Gósol :

Du **coll de Torn**, la piste descend vers le coll de les Bassotes *(source et abreuvoirs)* pour atteindre el Collell (1 845 m). Au niveau du panneau, emprunter le large chemin descendant à droite. Passer près d'une croix en fer ; poursuivre sur 20 m.

▶ Départ de la variante de Josa del Cadí.

35 Quitter ce large chemin pour descendre à gauche (Ouest) hors sentier dans le pâturage, vers quelques pins isolés. De là, continuer à flanc vers l'Ouest par un chemin assez large mais peu tracé. Franchir un petit ravin et poursuivre à flanc, en contrebas : la cabana del Bover *(abri possible)*. Franchir une série de ravins, descendant du pic de Roca Roja, pour arriver à la Font de la Roca *(importante source qui jaillit au pied d'une roche et descend dans le ravin)*.

36 Après la source, se diriger vers un bosquet de pins *(vue sur des bordes ruinées de Josa)*. Passer au-dessus des pins, pour arriver sur une croupe. Se diriger vers le Sud pour franchir l'arête rocheuse du Serrat de la Salve. Arriver sur un replat et se diriger alors vers le Sud-Ouest. Entamer la descente dans la pinède, le chemin caillouteux se dirige vers le col visible plus bas. Franchir le torrent dels Caners, puis remonter en face pour aller vers la droite (Sud-Ouest). Surplomber une réserve d'eau et arriver à la Font de Terrers (1 640 m) *(aire de pique-nique)*, puis au coll de Terrers. Emprunter la piste descendant vers le Sud jusqu'au panneau situé peu avant un tournant.

37 Quitter la piste pour monter par un petit chemin à gauche. Le chemin s'élargit bientôt et franchit le torrent dels Escanagats ; peu après, débute la descente. Passer au-dessus du lacet d'une piste *(vue sur Gósol, les ruines du vieux village, et château 12e siècle)*. Arriver aux premières maisons de **Gósol** (1 423 m), par la rue Passeig de la Coma ; la suivre en descente jusqu'à la place Agustí Pere i Pons. Aller à gauche, la plaça Major est alors à droite au bas de la rue.

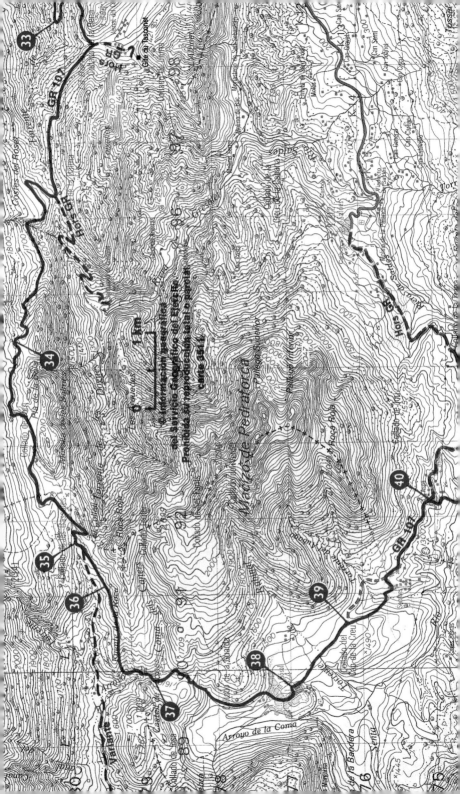

Gósol : maison Picasso.

Suivre la route B-400 vers le Sud de **Gósol** jusqu'au giratoire, passer devant un abreuvoir, et l'hostal Francisco.

38 Emprunter un large chemin parallèle : passeig del Puig. Se diriger vers l'Est, laisser un embranchement sur la droite, puis franchir un ruisseau et atteindre le coll del Puig de la Creu (1 440 m).

39 Quitter le chemin qui monte à droite vers une croix, et descendre à gauche. Trente mètres après, avant un poteau téléphonique, emprunter un sentier descendant à droite vers de grands peupliers. Longer des près de fauche, et atteindre le creux du vallon. Arriver sur un large chemin ; le suivre vers la gauche. Franchir un ruisseau et le longer pour bientôt monter vers le village de Sorribes (1 380 m). En atteignant le goudron, monter à gauche, passer devant quelques maisons pour rejoindre la route. Descendre la route B-400 vers Saldes.

40 Descendre à droite vers le village de **L'Espà** (1 320 m) *(fontaine)*.

Hors GR non balisé : Saldes : ▮ I h
À *Saldès :* 🏨 🏠 🛏 ⛺ 🛒 ✕ 🚌
Poursuivre sur la route B-400.

De **L'Espà** au **coll del Portet**   2 h 20

Quitter **L'Espà** en passant devant la maison de Cal Gascó et tourner à droite à l'angle de celle-ci. Descendre quelques marches, puis suivre un sentier herbeux, franchir une clôture, aller à droite, puis immédiatement à gauche pour passer sous la ligne électrique. Descendre tout droit, Sud, puis laisser un embranchement à droite. Plus loin, quitter ce chemin pour emprunter un embranchement à droite et arriver au niveau de la rivière ; la longer rive gauche, franchir un petit ruisseau après un captage. Arriver au niveau d'un grand bâtiment, la Farga ; le longer par la gauche et rejoindre une piste ; la suivre vers la gauche. Plus loin, le chemin est goudronné et monte pour arriver sur une route ; la suivre vers la droite.

41 Avant les maisons de Feners, descendre à droite par un chemin vers la rivière. Franchir le pont sur l'Aigua de Valls, arriver au lieu dit Molí dels Feners (1 200 m).

▶ Départ d'une variante équestre-VTT balisée (2 h 45). Quitter le sentier GR® juste après avoir passé un petit pont, en prenant le chemin sur la droite en direction du Moli d'en Güell.

Sierra de Cadi.

L'art Roman dans les Pyrénées

L'arrivée de bâtisseurs lombards en Catalogne au 9e siècle, marqua le départ de l'art roman dans la contrée. Amenés là par la conquête carolingienne, ils participèrent à l'implantation du christianisme en se lançant dans de vastes chantiers à la demande du clergé. S'appuyant sur leurs techniques propres et sur les particularismes locaux, ils créèrent un style architectural propre à la Catalogne.

Leurs églises se distingueront par leur sobriété et par l'usage systématique de la voûte, mais plus encore par la présence de tours campaniles très ouvertes. La région du Berguedà fut profondément marquée par ce style que l'on reconnaît sous le vocable de premier art roman, qui est généralement antérieur à 1080. Mais il faut bien y voir une forme d'expression artistique volontaire et l'émergence d'une école, et non pas le résultat d'une rusticité et d'une pauvreté montagnarde. La preuve en est donnée par les bâtiments postérieurs, comme l'église de Baga, qui, malgré de gros moyens financiers, fut bâtie au 14e siècle avec le même dépouillement...

Cet art roman rayonna en son temps sur l'ensemble du Midi, comme l'attestent les joyaux de la Catalogne " française " comme Saint-Michel-de-Cuxa, Serrabonne ou Saint-Martin-du-Canigou. On ne s'étonnera donc pas de le voir étendre un pan de son génie jusque sur les rives de l'Ariège...

L'exemple le plus frappant sur le Chemin des Bonshommes est indéniablement l'église de Mérens : son clocher et son plan trèflé la rapprochent de beaucoup d'églises catalanes ou andorranes. Mais le voyageur curieux pourrait constater d'autres similitudes entre les églises des deux versants en allant à Verdun et Unac d'un côté, ou à Ripoll de l'autre... Mieux encore : la comparaison des fresques des églises de Saint-Lizier, en Ariège, et de Pedret, près de Berga, ont montré qu'elles furent probablement effectuées par le même maître, ou tout au moins par la même école !

Sant-Pere-de-Madrona

Fichée sur un éperon rocheux, l'église Sant-Pere-de-Madrona fait souvent penser à un petit vaisseau de pierre que les tempêtes de l'Histoire auraient déposé là, au sommet d'une montagne... Simple et austère, cette église du 10e siècle est à l'image de toutes celles que nous avons croisées sur le Chemin des Bonshommes, entre Ariège et Catalogne. Pourvue d'une nef unique et d'une abside semi-circulaire, sans décoration, elle est à classer parmi les monuments du premier art roman.

Eglise Saint Pedre.

Le sanctuaire de Queralt

Accroché à un éperon rocheux bordé de forêts, dominant la vallée et la ville de Berga, le sanctuaire de Notre-Dame-de-Queralt est un site superbe et un belvédère unique. Fondé au 14e siècle, suite à une apparition de la Vierge, il devint rapidement célèbre.

Tous les 25 avril, une procession commémore la première apparition, en plus, bien sûr, de la classique fête du 8 septembre. Le bâtiment fut totalement remanié au 18e siècle, mais il abrite encore une statue en bois de la Vierge assise, datée du 14e siècle.

Sanctuaire de Queralt.

Franchir une clôture et monter par un large chemin. Plus loin, suivre une piste à gauche. Longer une clairière par la droite, la pente s'accentue bientôt. A la prochaine bifurcation aller à gauche, puis arriver sur un large chemin ; l'emprunter vers la droite. Plus loin, suivre une piste à gauche, en direction du massif du Pedraforca, jusqu'à un replat (1 600 m).

42 Monter à droite dans la pente, sous les pins. Laisser un embranchement à gauche et poursuivre la montée. Le chemin passe versant Sud et continue à flanc, sous le Roc de St-Telm, dominant la vallée. Plus loin, franchir le torrent de la Coma, puis monter en sous-bois ; le chemin s'infléchit vers la gauche, au niveau d'une zone au boisement moins dense. Par la suite, monter légèrement vers la droite hors sentier, pour retrouver une sente se dirigeant vers l'Est *(vues sur Gósol et le col de Josa)*. Après une nouvelle montée hors sentier dans la pente, déboucher sur un large chemin près d'une source ; se diriger alors à droite vers le col del Portet.

43 Peu avant le col, quitter le large chemin et monter à gauche. Franchir la crête un peu au-dessus du **coll del Portet** (1 830 m).

Du coll del Portet à Peguera 2 h 05

Du **coll del Portet**, se diriger à flanc à gauche. Des deux chemins parallèles, emprunter celui du bas ; franchir une clôture. Le chemin se rapproche des falaises et passe en balcon, surplombant la vallée de Bonner. Après quelques passages rocheux, atteindre une pinède tout en progressant à niveau ; franchir un collet (2 000 m).

44 Descendre dans la pente herbeuse sur la droite du vallon, pour se diriger vers un rétrécissement dominé par la Roca Gran de Ferrùs. Là, passer rive gauche du riu de LLinars au pied de la falaise *(voies d'escalade) (vue sur les ruines de Ferrùs et au-delà, sur les pistes de la station de Rasos de Peguera)*. Le chemin caillouteux franchit un petit torrent, puis se dirige en descente vers l'Ouest pour arriver sur un bon chemin que l'on suit vers la gauche. La pente s'accentue et le chemin perd rapidement de l'altitude, pour continuer à niveau vers les ruines de Ferrùs *(abri sommaire possible à l'arrière des ruines)*. Longer un enclos à bétail au pied de la falaise et atteindre rapidement un large chemin en légère montée. Passer à côté d'un abreuvoir, puis franchir une croupe. Le chemin descend et passe près d'une importante source, la Font de la Bruixa, et arrive à un carrefour de chemins (1 640 m).

Le pin à crochets

En Haute-Ariège comme en Catalogne, autour de l'étang des Bésines comme dans le Parc de Cadi-Moixero, dès que le sol se fait pauvre et les conditions difficiles, le pin à cro-chets occupe le paysage, unique arbre capable de résister aux sécheresses et aux tempêtes, au soleil ardent et au gel nocturne... Il est bien reconnaissable grâce à sa silhouette souvent tordue, penchée, et à son tronc et ses branches grises que le vent a parfois modelées comme un artiste fou !

Dernier arbre que l'on rencontre en altitude, il va souvent accrocher ses racines sur d'énormes rochers, arrachant aux failles de ceux-ci sa maigre pitance. Les plus persévérants d'entre eux parviennent à subsister jusqu'à 2 500 mètres d'altitude !

Il est parfois accompagné de son "cousin" à l'écorce orangée mais à l'apparence tout aussi tortueuse : le pin sylvestre. Ces arbres, dont certains sont plusieurs fois centenaires, ne doivent leur présence qu'à un dur et long combat pour la survie dans ces âpres montagnes, mais une simple flamme peut en détruire des hectares entiers. Alors prenez garde de ne jamais allumer de feu auprès d'eux.

Pin à crochet.

Fleurs de montagne

C'est au printemps que les fleurs de montagne sont à leur apogée. En Haute Ariège, il est courant de voir des pans entiers de montagne couverts de rhododendrons, dont le rose s'accorde à merveille avec le jaune des grandes gentianes. Si aujourd'hui les racines de cette dernière sont utilisées pour la fabrication de certains alcools, beaucoup d'autres plantes étaient autrefois utilisées à des fins médicinales. C'était le cas, entre autres, du millepertuis, qui, macéré dans de l'huile d'olive, était réputé souverain pour le traitement des coupures et des brûlures; la violette radicale contre les angines, et la scabieuse colombaire qui permettait de lutter contre la gale !

Orchidée.

Aux abords de Prades vous verrez facilement des gentianes de Koch et dans les gorges de la Frau une plante endémique : le pavot de Galle (sorte de coquelicot jaune). Dans les tour-bières de la vallée des Bézines ou du Campcardos, la linaigrette se donnera des airs de champs de coton et en montant encore un peu, vous décou-vrirez peut-être des lys des Pyrénées...

Saxifrage.

Pavot de Galle.

Des fleurs " fossiles "

Au milieu de la nature conquérante du Parc de Cadi-Moixero, il convient de distinguer deux fleurs tout à fait extra-ordinaires : la *ramondia* et la *xatartia*.

La *ramondia des Pyrénées* ne pousse, comme son nom l'indique, que dans les Pyrénées. Aimant l'humidité, elle se trouve souvent dans les failles de rochers sur les versants ombrés, entre 1 000 et 1 800 mètres d'altitude. Ses feuilles rondes lui ont valu en Catalogne le nom " d'oreille d'ours ", mais ses fleurs mauves, perchées sur de hautes tiges, sont des plus élégantes. Elles fleurissent entre mai et septembre. Son nom lui fut donné en hommage à Raymond de Carbonnières, un botaniste et pyrénéiste du siècle dernier, qui avant de se consacrer à la découverte des montagnes, fut député révolutionnaire, préfet sous l'Empire et conseiller

d'Etat sous Louis XVIII !
La *ramondia* a traversé les millénaires : elle date en effet des plus lointaines glaciations, une plante fossile en quelque sorte...

La seconde est tout aussi ancienne : il s'agit de la *xatartia scabra*. Cette ombellifère a un aspect bizarre : sa courte tige enveloppée de feuilles striées est coiffée en août et septembre de petites fleurs jaunes pâles. La *xatartia* est totalement endé-mique : on ne peut en effet la voir que dans la Sierra de Cadi et dans la vallée d'Eyne, en Cerdagne, entre 1 600 et 2 300 mètres d'altitude, dans les plus austères éboulis de ces montagnes... Enfin, la Catalogne est une terre de poètes où la flore et la faune sont indissociables, pour preuve voici les noms que l'on donne à ces deux fleurs : l'*oreille d'ours* et le *persil d'isard* !

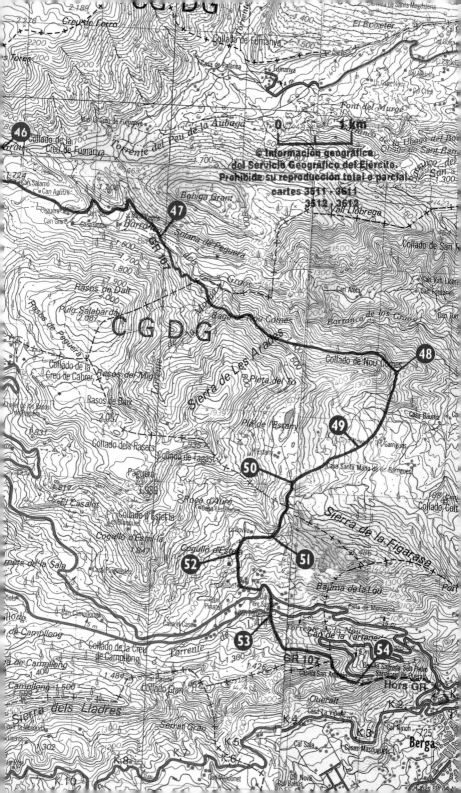

45 Aller à gauche, puis suivre la piste de droite, pour franchir non loin de là une barrière. En limite de clairière, arriver sur une nouvelle piste ; descendre vers la gauche en laissant à droite le col de Peguera et parvenir à une bifurcation.

46 Emprunter la piste descendant à droite, pour passer au-dessus d'une petite retenue. Traverser des pâturages, en passant sous Ca n'Agutzil, et sous une réserve d'eau, pour se diriger vers le piton rocheux dominant le hameau de Peguera en partie ruiné. Après avoir franchi une nouvelle barrière, et le ruisseau de Peguera à gué, atteindre **Peguera** (1 630 m).

De Peguera à Casanova de les Garrigues   2 h

À Casanova de les Garrigues : 🏠 *(aménagé pour accueillir les chevaux)*

Longer le cimetière de **Peguera** et descendre par la piste récente, vers l'ancienne exploitation minière (lignite) de Pisos de Peguera ou St-Miquel. Passer à côté d'une source et d'un lavoir. Traverser un petit pont, puis quitter cette piste au niveau du tournant à gauche, où est visible une petite veine de charbon. Emprunter en descente à droite, un chemin barré par une chaine. Plus loin, passer au-dessus d'une réserve d'eau. Dépasser l'embranchement se dirigeant vers les ruines St-Miquel. Peu après, franchir une clôture et laisser un embranchement à gauche, puis un à droite en restant toujours sur la piste dans la pinède. Passer au-dessus d'un arc en briques, seul vestige des bâtiments du chemin de fer de Cercs a Peguera. A une bifurcation, descendre vers la droite par une piste récente.

47 Suivre un chemin descendant à droite vers la rivière de Peguera ; la franchir à gué, puis remonter en face pour passer à côté d'une ruine. Suivre le large chemin, ancienne voie ferrée, à flanc sous la hêtraie. Après un tunnel, laisser un chemin montant à droite et arriver au niveau d'un passage taillé dans la roche *(belvédère sur les gorges de la Peguera)*. Traverser les vestiges d'une aire de chargement du minerai. Le chemin devient alors plus étroit et descend en lacets. Atteindre un large chemin à niveau et se diriger à droite ; entre deux roches *(vue sur la retenue de la Baells et le village de Cercs)*.

48 Franchir le col de les Nou Comes (1 250 m), puis rejoindre un chemin plus large, dans la pinède, aboutissant à un pré ; le longer pour arriver à **Casanova de les Garrigues** (1 190 m).

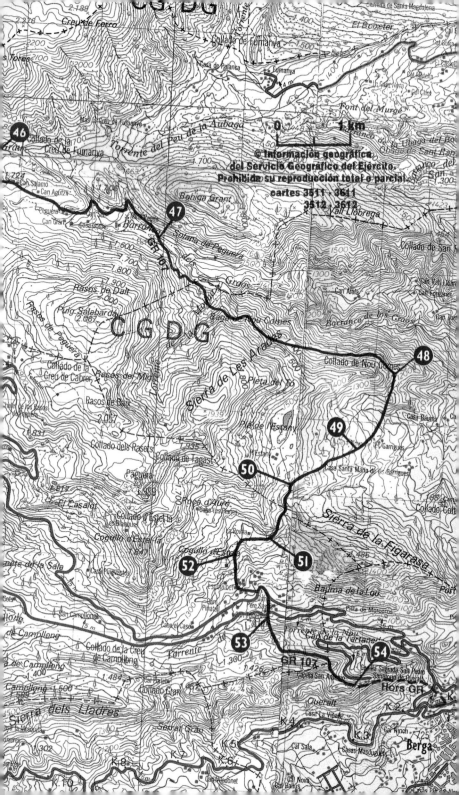

Franchir la barrière, suivre une piste jusqu'à une esplanade faisant office de parking ; la traverser en diagonale.

49 Emprunter un chemin montant. Franchir une clôture et continuer à monter, en longeant d'anciennes terrasses de culture par la gauche. Bientôt, le sentier GR® 107 descend et emprunte à droite un chemin pour monter en sous-bois. Au niveau d'une clairière avec quelques pins, quitter ce sentier pour aller à droite *(bien suivre le balisage dans cette zone où les sentiers sont nombreux)*. Monter en dominant un vallon sur la droite, puis à travers un pâturage dans l'axe d'un vallon. Le sentier descend alors légèrement pour arriver au Coll de la Pomera (1 460 m) *(point de vue)*. Passer la clôture et descendre jusqu'au niveau d'un piquet jaune ; aller à droite sous un taillis. Arriver sur un chemin et remonter vers la droite. Plus loin, franchir un petit ruisseau et continuer à monter. Près d'un ruisseau, emprunter à droite un chemin qui s'élargit rapidement, passe sous un gros rocher, puis franchit une clôture pour atteindre, vers le haut du vallon, une piste ; la suivre à gauche. Franchir une chaine puis atteindre le col de l'Orier, carrefour de pistes.

50 Aller à droite direction Corbera, par un chemin en balcon *(véritable belvédère)* qui passe sous une falaise et arrive à une bifurcation.

▶ A droite, santuari de Corbera (1 400 m).

51 Emprunter la piste descendant à gauche vers une source. Laisser deux petits embranchements à gauche, pour arriver sur un vaste replat dominé par Nostra senyora de la Corbera ; longer ce replat par la gauche. Se diriger vers un poteau électrique, passer sous la ligne, continuer vers l'Ouest en longeant la lisière de la forêt et arriver près d'un tertre terreux

52 Obliquer à gauche, pour suivre un petit chemin caillouteux descendant. Laisser une bifurcation à droite et rejoindre un chemin empierré plus large, descendre sous les ruines du château d'**Espinalbet** (1 240 m), vers l'église de St-Miquel.

À Queralt : 🛒 ✕ 🛒

Descendre entre l'église et le cimetière d'**Espinalbet** par un chemin bétonné. Juste après, aller à gauche pour contourner une maison, passer dans une venelle pour tout de suite tourner à gauche à l'angle d'une autre maison. Passer sous l'église, franchir une clôture et suivre un chemin vers le bas. Franchir à nouveau la clôture et atteindre la route BV-4243. Descendre vers la gauche et emprunter le premier chemin à droite. Le chemin passe entre des villas, et peu après, rejoint une route. Descendre vers la gauche et dépasser une villa.

53 Suivre un chemin descendant à droite, franchir le ruisseau Demetge puis une clôture et remonter un éboulis assez raide. Après avoir franchi une nouvelle clôture, descendre par un large chemin.

Plus loin, quitter ce chemin pour un sentier montant vers la droite dans un éboulis très raide, puis suivre à niveau une sente peu commode en sous-bois. Le sentier s'améliore et est soutenu par une murette ; il rejoint un chemin descendant. Passer à la fontaine d'en Barreta (tête de taureau), et après quelques marches, arriver au Sanctuaire de **Queralt** (1 120 m). Sur l'esplanade, stèle du sentier GR® 107 *Cami dels Bons Homens*, Queralt-Montségur (**54**).

Hors GR non balisé : Berga : 30 mn

À Berga : 🏠 🏠 🛏 ⛺ 🛒 ✕ 🛒 ℹ 🚌

Emprunter l'escalier vers l'aire de stationnement ; la laisser à gauche et poursuivre la descente. Se diriger vers un petit oratoire (capella de la Mare de Deu dels Dolors), puis vers la capella de St-Jaume, et St-Jacint. Laisser un chemin à gauche montant vers la chapelle de St-Pere de Madrona, située sur la crête. Ce large chemin atteint bientôt une route ; la traverser et continuer en face. Peu après, aller à gauche pour passer devant un restaurant et l'oratoire St-Marc. Descendre à droite et passer sous les vestiges d'un aqueduc. Arriver sur une route ; la traverser, puis partir à gauche pour emprunter, après quelques mètres, une série de marches descendant vers la vieille ville de Berga. Suivre la rue vers le bas, atteindre une rue pavée et aller à droite, carrer de Vilada. Descendre bientôt à gauche pour arriver sur la plaça St-Pere sous l'église.

La variante du sentier GR® 107

de Mérens-les-Vals à Porté-Puymorens

▶ Itinéraire se déroulant entièrement en montagne, à des altitudes comprises entre 1 060 et 2 470 m.

De Mérens-les-Vals à la Porteille des Bésines `4 h 45`

À Mérens-les-Vals : 🏠 🚌 🚂

▶ Itinéraire commun avec le sentier GR® 10.

1 Quitter la N 20 au centre du village de **Mérens-les-Vals** (1 060 m), passer sous le pont de la voie ferrée, traverser le Nabre, passer devant l'église et, avant le gîte d'étape, monter en bordure du chenal. Devant une église romane brûlée on retrouve la route de Mérens-d'en-Haut. En couper les lacets et atteindre un pont sur le Redon.

▶ Jonction avec le sentier GR® 107, voir page 59.

Emprunter à droite le sentier GR® 10 qui suit la route sur 100 m.

2 S'engager à gauche dans le sentier qui remonte vers le Sud-Est la rive droite du Nabre. On passe une grange en ruine puis une source et une cascade (Saut de Nabreil). Vers 1 750 m d'altitude, passer rive gauche du torrent en empruntant une passerelle : on suit alors cette rive jusqu'à la Jasse de Préssassé (1 832 m) *(replat au confluent de plusieurs vallons).*

3 Le sentier GR® 10 oblique au Sud vers le débouché du ravin d'Estagnas dont il remonte ensuite la rive gauche en s'orientant Sud-Est puis Sud-Ouest pour franchir une sorte de col et atteindre le petit lac d'Estagnas (2 056 m) situé dans un creux. Contourner le lac par l'Ouest et s'élever Sud-Sud-Ouest jusqu'à la **Porteille des Bésines** (2 333 m).

De la Porteille des Bésines au refuge des Bésines `45 mn`

Au refuge des Bésines : 🏠

4 De la **Porteille des Bésines**, descendre dans une coulée raide vers des terrasses herbeuses en se tenant toujours sur la rive gauche du ruisseau. Continuer dans une zone rocheuse parsemée de gros genévriers et de pins rabougris. Le sentier GR® 10 gagne le **refuge des Bésines** (2 104 m).

Du refuge des Bésines au coll de Coma d'Anyell `1 h 40`

▶ Départ du sentier GR® 107C, voir page 111.

Du **refuge des Bésines**, suivre la courbe de niveau et remonter vers l'Est la rive droite du ruisseau. Vers 2 050 m, il s'en écarte définitivement pour contourner par la gauche une petite éminence et remonte ensuite vers le Nord-Est la rive droite d'un affluent.

Au pied d'un ressaut, traverser l'eau et grimper vers la droite (Est) un couloir d'éboulis donnant accès aux côtes de Bésineilles (2 350 m) *(cuvette herbeuse avec un petit lac, située dans un entonnoir de pierrailles)*. Gravir des éboulis vers l'Est pour atteindre le **Coll de Coma d'Anyell** (2 470 m).

Du coll de Coma d'Anyell à la cabane de Rouzet

Du **coll de Coma d'Anyell**, descendre vers l'Est puis le Sud-Est ; laisser à droite, à l'altitude de 2 390 m, un grand replat herbeux pour dévaler au Sud-Sud-Est sur l'étang de Lanoset d'où l'on gagne la pointe Nord de l'étang de Lanous. Avant d'arriver à une petite éminence, on croise le sentier GR® 7. Les deux sentier GR® ont un court trajet commun vers le Sud, passent le long d'une épine rocheuse, virent à l'Est-Sud-Est et atteignent la **cabane de Rouzet** (2 260 m).

De la cabane de Rouzet au refuge de la Guimbarde

Au refuge de la Guimbarde : 🏠

▶ Le sentier GR® 10 file vers l'Est pour gagner le lac des Bouillouses, itinéraire décrit dans le topo-guide « Pyrénées orientales », réf. 1092.

5 De la cabane de Rouzet, poursuivre sur le sentier GR® 7 en longeant l'étang de Lanous sur la rive Est. S'élever dans les pâturages puis redescendre jusqu'à un pluviomètre (alt. 2 206 m). Continuer plein Sud et arriver au **refuge de la Guimbarde** (2 240 m).

Du refuge de la Guimbarde à **Porté-Puymorens**

À Porté-Puymorens : 🏠 🏨 👤 🛒 🍴 🚂

6 Du **refuge de la Guimbarde**, descendre jusqu'au barrage de l'étang de Lanous ; passer sur la digue et descendre, sur la gauche, à l'extrémité de celle-ci. Passer la station d'un premier télébenne EDF puis une seconde : là, prendre, sur la droite, un sentier horizontal (Sud). Progresser sur la rive droite de la vallée, sur les flancs d'un versant très abrupt *(passages délicats par temps de pluie ou d'enneigement)*. Le sentier GR® s'oriente Sud-Ouest ; on passe sous les câbles d'un télébenne à l'aplomb de l'étang de Font-Vive. Le sentier GR® 7 effectue alors une longue descente en passant au-dessus du barrage du Passet et atteint la N 20 dans un virage dit " Cerisiers ". Emprunter la route sur 40 m pour enjamber la glissière de sécurité et descendre le talus de la route. Rejoindre la route du Passet que l'on suit vers l'Ouest pour gagner **Porté-Puymorens** (1 623 m).

Le sentier GR® 107C

Du refuge des Bésines à L'Hospitalet-près-l'Andorre `1 h 55`

À *L'Hospitalet-près-l'Andorre :* 🏠 🏛 🏕 ☕ 🛒 🍴 🚌 🚂

❶ Descendre dans la combe sous le **refuge des Bésines** (2 104 m), puis se diriger vers la droite pour rejoindre le ruisseau que l'on franchit. Une fois la jasse atteinte (1 981 m), se diriger à gauche vers l'étang pour franchir le ruisseau sur une petite passerelle métallique. Longer alors l'étang jusqu'au barrage. Continuer vers l'Ouest, passer à côté de la cabane de l'étang des Bésines puis longer des rails ; les quitter en descendant à droite par un petit sentier. Après un passage bétonné, le chemin longe les vestiges des barraquements de chantier.

Quitter bientôt le bois de pins, en montée, pour traverser une zone de pâturages et franchir le torrent à gué. Remonter un peu avant de descendre dans la forêt de mélèzes. Le chemin se poursuit à flanc de falaise, passe au pied de deux cascades dont une est équipée d'une main courante et d'un "garde fou". Parvenir à la jonction avec le sentier GR® 107, au-dessus du village de **L'Hospitalet-près-l'Andorre** (1 400 m).

▶ Pour la description du sentier GR® 107 vers le col de Puymorens, voir page 63.

═══ **César à la cour d'Angleterre** ═══

Les hautes vallées sont souvent riches en personnages étonnants. Témoin ce montagnard chevronné surnommé César, natif du hameau des Baserques, près d'Ax, et redoutable chasseur d'isards. Quand la guerre fut là et que les Allemands bouclèrent la frontière, il se mit aussitôt au service de la Résistance. Devenu l'incontournable passeur de son réseau, il conduisit en Espagne plusieurs aviateurs anglais.

La paix revenue, l'Angleterre su être reconnaissante puisque César fut décoré mais surtout... reçu à Buckingham Palace. Notre montagnard fit bonne figure, mais devant la reine, il refusa d'enlever son béret ! Et quand on lui demanda ce qui justifiait un tel manque de respect au protocole, il eut cette réponse cinglante "Elle n'a pas enlevé sa couronne, je n'ai pas enlevé mon béret !"

Index des noms de lieux

Arnave	39	Mérens-du-Bas	59, 107
Ax-les-Thermes	55	Mérens-du-Haut	59
Bagà	85	Montaillou	49
Balaguès (col de)	53	Montferrier	33, 43
Bauma (coll de la)	87	Montségur	47
Bazech (col de)	39	Orgeix	55
Bellver de Cerdanya	77	Orlu	55
Bena (coll de la)	87	Pas de la Casa	69
Berga	105	Peguera	97
Bésines (refuge des)	107, 111	Pelail	47
Camurac	49	Pendís (coll de)	81
Casanova de les Garrigues	101	Pierre Blanche	53
Coma d'Anyell (coll de)	107	Porta	69
Comus	49	Portella Blanca	69
Cortals (refuge dels)	81	Porteille des Bésines	107
Coulobre (cabane du)	43	Portet (coll del)	93
Croquié	39	Porté-Puymorens	65, 109
Escriu (col de)	85	Prades	49
Espà (L')	93	Puymorens	63
Esparvers (cabana dels)	73	Puymorens (col du)	65
Espinalbet	103	Queralt	105
Foix	31	Roquefixade	31
Forge (La)	55	Rouzet (cabane de)	109
Gisclareny	87	Séguela (col de)	37, 47
Gòsol	91	Sorgeat	53
Gresolet	87	St-Jordi (refuge)	85
Guimbarde (refuge de la)	109	Talltendre	73
Hospitalet-près-l'Andorre (L')	63, 111	Tarascon-sur-Ariège	39
Joux (col de)	59	Torn (coll de)	91
Liam (col du)	47		

Montage du projet et directions des collections et des éditions : Dominique Gengembre.
Secrétariat d'édition : Philippe Lambert et Nicolas Vincent. **Cartographie et fabrication :**
Jérôme Bazin, Olivier Cariot, Frédéric Luc, Matthieu Avrain et Delphine Sauvanet.

1re édition : mars 1999 ; mise à jour en novembre 2002
© FFRP-CNSGR 1999 - ISBN 2-85699-738-4 © IGN 1999
Dépôt légal : novembre 2002
Compogravure : MCP (Orléans)
Impression : Jouve (Mayenne)